biblio

C000142352

Toine
et autres contes

Maupassant

Notes, questionnaires et dossier Bibliocollège
par Hervé ALVADO,
certifié de Lettres classiques,
professeur en collège

Crédits photographiques

AKG Paris/Cameraphoto : p. 43 (Cagnaccio di San Pietro, *Lacrime di cipolla*, 1929, détail).
Giraudon : p. 90.
Josse : pp. 31, 93 (Berthe Morisot, *Jeune femme en toilette de bal*, détail), 133.
Photothèque Hachette Livre : couverture et pp. 4, 5, 6, 7, 34, 46, 53, 56, 70, 79, 82, 104, 107, 118, 121, 137 (D.R.), 144, 148, 155, 159 (D.R.).
Roger-Viollet : p. 22.

Conception graphique

Couverture : *Laurent Carré*

Intérieur : *ELSE*

Mise en page

Médiamax

Illustration des questionnaires

Harvey Stevenson

ISBN : 978-2-01-167852-2

© Hachette Livre, 1999, 43, quai de Grenelle, 75905 PARIS Cedex 15.
Tous droits de traduction, de reproduction et d'adaptation réservés pour tous pays.

Sommaire

« *En v'là un aileron, la mé, en v'là un.* » (page 10).

Introduction

É crits entre 1883 et 1889, les contes de ce recueil ont été publiés dans différents journaux de l'époque avant d'être réunis en divers volumes, du vivant de l'auteur ou après sa mort. Maupassant est alors un écrivain reconnu, qui gagne bien sa vie, car il n'a aucun mal à vendre ses récits à des journaux comme *Le Gaulois*, *Gil Blas* ou *Le Figaro*. Les lecteurs apprécient en effet la variété, la concision et la force de ses contes, bien ancrés dans la réalité. Réalisme et naturalisme sont en effet à la mode.

Depuis 1880, date de sa fulgurante entrée dans la littérature avec *Boule-de-Suif*, Maupassant s'est un peu assagi. Ce sportif musclé, épris de grand air, de natation, de canotage, étouffait littéralement dans son bureau du ministère de la Marine et passait tout son temps libre sur la Seine, ou dans des établissements fréquentés par les milieux populaires et pas toujours recommandables des bords de Seine, entre Argenteuil et Marly.

Désormais, grâce à sa notoriété, il est reçu dans les salons parisiens. Ses succès littéraires lui ont permis de quitter le bureau pour faire désormais ce qui lui plaît : écrire et partir en croisière à bord de son voilier.

Il écrit beaucoup, en effet : six romans, des récits de voyages, trois cents contes et nouvelles, en une dizaine d'années. Autant dire que les dix contes qui suivent ne peuvent donner qu'un petit aperçu de son talent. Voici les thèmes abordés dans ce recueil :

D'abord le pays normand avec ses paysans rudes, rusés, âpres au gain *(Toine, Le Père Milon, La Mère Sauvage, Le Gueux, Boitelle)*. Normand lui-même, Maupassant les connaît bien, pour les avoir fréquentés. Or ces personnages, loin d'être figés dans le passé, sont proches de nous : leurs problèmes, comme celui de l'exclusion *(Le Gueux)*, ou du racisme *(Boitelle)*, sont encore au cœur de notre société… Et la lutte contre l'occupant prussien de 1870 *(Le Père Milon, La Mère Sauvage)*, ne préfigure-t-elle pas, à sa façon, la résistance à l'occupant nazi de 1940 ?

Ensuite l'étrange et le macabre *(La Chevelure, Le Tic)*, qui fascinèrent Maupassant toute sa vie durant. L'évocation du fou de *La Chevelure* a quelque chose de pathétique quand on connaît la fin de l'écrivain.

Enfin la vie des petits employés *(La Parure, Mon oncle Jules, La Question du latin)*, une vie que l'écrivain a connue pendant une dizaine d'années, vie grise, étriquée, plus ou moins manquée (pour diverses raisons). Le dernier récit cependant est une farce qui finit bien – preuve que Maupassant ne se montre pas toujours foncièrement pessimiste.

Toine

On le connaissait à dix lieues aux environs le père Toine, le gros Toine, Toine-ma-Fine, Antoine Mâcheblé, dit Brûlot, le cabaretier de Tournevent.

Il avait rendu célèbre le hameau enfoncé dans un pli
5   du vallon qui descendait vers la mer, pauvre hameau paysan composé de dix maisons normandes entourées de fossés et d'arbres.

Elles étaient là, ces maisons, blotties dans ce ravin couvert d'herbe et d'ajonc[1] derrière la courbe qui avait
10   fait nommer ce lieu Tournevent. Elles semblaient avoir cherché un abri dans ce trou comme les oiseaux qui se cachent dans les sillons les jours d'ouragan, un abri contre le grand vent de mer, le vent du large, le vent dur et salé, qui ronge et brûle comme le feu, dessèche et
15   détruit comme les gelées d'hiver.

notes
_____

1. ajonc : arbrisseau épineux.

7

Mais le hameau tout entier semblait être la propriété d'Antoine Mâcheblé, dit Brûlot, qu'on appelait d'ailleurs aussi souvent Toine et Toine-ma-Fine, par suite d'une locution dont il se servait sans cesse :

20 « Ma Fine est la première de France. »

Sa Fine, c'était son cognac, bien entendu.

Depuis vingt ans il abreuvait le pays de sa Fine et de ses Brûlots, car chaque fois qu'on lui demandait :

« Qu'est-ce que j'allons bé[1], pé[2] Toine ? »

25 Il répondait invariablement :

« Un brûlot[3], mon gendre, ça chauffe la tripe et ça nettoie la tête ; y a rien de meilleur pour le corps. »

Il avait aussi cette coutume d'appeler tout le monde « mon gendre », bien qu'il n'eût jamais eu de fille mariée ou

30 à marier.

Ah ! oui, on le connaissait Toine Brûlot, le plus gros homme du canton, et même de l'arrondissement. Sa petite maison semblait dérisoirement trop étroite et trop basse pour le contenir, et quand on le voyait debout sur sa porte

35 où il passait des journées entières, on se demandait comment il pourrait entrer dans sa demeure. Il y rentrait chaque fois que se présentait un consommateur, car Toine-ma-Fine était invité de droit à prélever son petit verre sur tout ce qu'on buvait chez lui.

40 Son café avait pour enseigne : « Au Rendez-vous des Amis », et il était bien, le pé Toine, l'ami de toute la contrée. On venait de Fécamp et de Montvilliers pour le voir et pour rigoler en l'écoutant, car il aurait fait rire une pierre de

---

notes

1. bé : boire.
2. pé : père.

3. brûlot : eau-de-vie brûlée avec du sucre.

tombe, ce gros homme. Il avait une manière de blaguer[1] les
45 gens sans les fâcher, de cligner de l'œil pour exprimer ce
qu'il ne disait pas, de se taper sur la cuisse dans ses accès de
gaieté qui vous tirait le rire du ventre malgré vous, à tous les
coups. Et puis c'était une curiosité rien que de le regarder
boire. Il buvait tant qu'on lui en offrait, et de tout, avec une
50 joie dans son œil malin, une joie qui venait de son double
plaisir, plaisir de se régaler d'abord et d'amasser des gros sous
ensuite, pour sa régalade[2].

Les farceurs du pays lui demandaient :

« Pourquoi que tu ne bé point la mé[3], pé Toine ? »

55 Il répondait :

« Y a deux choses qui m'opposent[4], primo qu'a l'est salée,
et deusio qu'i faudrait la mettre en bouteilles, vu que mon
abdomin[5] n'est point pliable pour bé à c'te tasse-là ! »

Et puis il fallait l'entendre se quereller avec sa femme !
60 C'était une telle comédie qu'on aurait payé sa place de bon
cœur. Depuis trente ans qu'ils étaient mariés, ils se cha-
maillaient tous les jours. Seulement Toine rigolait, tandis que
sa bourgeoise se fâchait. C'était une grande paysanne, mar-
chant à longs pas d'échassier[6], et portant une tête de chat-
65 huant[7] en colère. Elle passait son temps à élever des poules
dans une petite cour, derrière le cabaret, et elle était renommée pour la façon dont elle savait engraisser les volailles.

Quand on donnait un repas à Fécamp chez les gens de
la haute[8], il fallait, pour que le dîner fût goûté, qu'on y
70 mangeât une pensionnaire de la mé Toine.

---

notes

1. blaguer : plaisanter sur.

2. régalade : action de régaler.

3. mé : mer.

4. qui m'opposent : qui m'en empêchent.

5. abdomin : abdomen.

6. échassier : oiseau à longues pattes.

7. chat-huant : grande chouette appelée aussi hulotte.

8. les gens de la haute : d'un rang social élevé.

Mais elle était née de mauvaise humeur et elle avait continué à être mécontente de tout. Fâchée contre le monde entier, elle en voulait principalement à son mari. Elle lui en voulait de sa gaieté, de sa renommée, de sa santé et de
75 son embonpoint. Elle le traitait de propre à rien, parce qu'il gagnait de l'argent sans rien faire, de sapas[1], parce qu'il mangeait et buvait comme dix hommes ordinaires, et il ne se passait point de jour sans qu'elle déclarât d'un air exaspéré :

« Ça serait-il point mieux dans l'étable à cochons un
80 quétou[2] comme ça ? C'est que d'la graisse que ça en fait mal au cœur. »

Et elle lui criait dans la figure :

« Espère, espère un brin[3] ; j'verrons c'qu'arrivera, j'verrons ben ! Ça crèvera comme un sac à grain, ce gros bouffi ! »

85 Toine riait de tout son cœur en se tapant sur le ventre et répondait :

« Eh ! la mé Poule, ma planche, tâche d'engraisser comme ça d'la volaille. Tâche pour voir. »

Et relevant sa manche sur son bras énorme :

90 « En v'là un aileron, la mé, en v'là un. »

Et les consommateurs tapaient du poing sur les tables en se tordant de joie, tapaient du pied sur la terre du sol, et crachaient par terre dans un délire de gaieté.

La vieille furieuse reprenait :

95 « Espère un brin... espère un brin... j'verrons c'qu'arrivera... Ça crèvera comme un sac à grain... »

Et elle s'en allait furieuse, sous les rires des buveurs.

notes

1. **sapas :** gourmand, de *saper*, mot du dialecte normand signifiant manger avec avidité.

2. **quétou :** porc (dialecte normand).

3. **espère un brin :** attends un peu.

Toine, en effet, était surprenant à voir, tant il était devenu épais et gros, rouge et soufflant. C'était un de ces êtres énormes sur qui la mort semble s'amuser, avec des ruses, des gaietés et des perfidies bouffonnes, rendant irrésistiblement comique son travail lent de destruction. Au lieu de se montrer comme elle fait chez les autres, la gueuse[1], de se montrer dans les cheveux blancs, dans la maigreur, dans les rides, dans l'affaissement croissant qui fait dire avec un frisson : « Bigre ! comme il a changé ! » elle prenait plaisir à l'engraisser, celui-là, à le faire monstrueux et drôle, à l'enluminer[2] de rouge et de bleu, à le souffler, à lui donner l'apparence d'une santé surhumaine ; et les déformations qu'elle inflige à tous les êtres devenaient chez lui risibles, cocasses, divertissantes, au lieu d'être sinistres et pitoyables.

« Espère un brin, répétait la mère Toine, j'verrons ce qu'arrivera. »

II

Il arriva que Toine eut une attaque et tomba paralysé. On coucha ce colosse dans la petite chambre derrière la cloison du café, afin qu'il pût entendre ce qu'on disait à côté, et causer avec les amis, car sa tête était demeurée libre, tandis que son corps, un corps énorme, impossible à remuer, à soulever, restait frappé d'immobilité. On espérait, dans les premiers temps, que ses grosses jambes reprendraient quelque énergie mais cet espoir disparut bientôt, et Toine-ma-Fine passa ses jours et ses nuits dans son lit qu'on ne retapait qu'une fois par semaine, avec le secours de quatre voisins qui enlevaient

---

notes

1. la gueuse : la misérable, la gredine.

2. enluminer : colorer vivement.

le cabaretier par les quatre membres pendant qu'on retour-
125 nait sa paillasse.

Il demeurait gai pourtant, mais d'une gaieté différente,
plus timide, plus humble, avec des craintes de petit enfant
devant sa femme qui piaillait toute la journée :

« Le v'là, le gros sapas, le v'là, le propre à rien, le faignant,
130 ce gros soulot[1] ! C'est du propre, c'est du propre ! »

Il ne répondait plus. Il clignait seulement de l'œil
derrière le dos de la vieille et il se retournait sur sa couche,
seul mouvement qui lui demeurât possible. Il appelait cet
exercice faire un « va-t-au nord », ou un « va-t-au sud ».

135 Sa grande distraction maintenant c'était d'écouter les
conversations du café, et de dialoguer à travers le mur quand
il reconnaissait les voix des amis. Il criait :

« Hé, mon gendre, c'est té Célestin ? »

Et Célestin Maloisel répondait :

140 « C'est mé, pé Toine. C'est-il que tu regalopes, gros lapin ? »

Toine-ma-Fine prononçait :

« Pour galoper, point encore. Mais je n'ai point maigri,
l'coffre est bon. »

Bientôt, il fit venir les plus intimes dans sa chambre et on
145 lui tenait compagnie, bien qu'il se désolât de voir qu'on
buvait sans lui. Il répétait :

« C'est ça qui me fait deuil[2], mon gendre, de n'pu
goûter d'ma fine, nom d'un nom ! L'reste, j'm'en gargarise[3],
mais de ne point bé ça me fait deuil. »

150 Et la tête de chat-huant de la mère Toine apparaissait dans
la fenêtre. Elle criait :

« Guètez-le[1], guètez-le, à c't'heure, ce gros faignant qu'i faut nourrir, qu'i faut laver, qu'i faut nettoyer comme un porc. »

155 Et quand la vieille avait disparu, un coq aux plumes rouges sautait parfois sur la fenêtre, regardait d'un œil rond et curieux dans la chambre, puis poussait son cri sonore. Et parfois aussi, une ou deux poules volaient jusqu'aux pieds du lit, cherchant des miettes sur le sol.

Les amis de Toine-ma-Fine désertèrent bientôt la salle du 160 café, pour venir, chaque après-midi, faire la causette autour du lit du gros homme. Tout couché qu'il était, ce farceur de Toine, il les amusait encore. Il aurait fait rire le diable, ce malin-là. Ils étaient trois qui reparaissaient tous les jours : Célestin Maloisel, un maigre un peu tordu comme un tronc 165 de pommier, Prosper Horslaville, un petit sec avec un nez de furet[2], malicieux, fûté comme un renard, et Césaire Paumelle, qui ne parlait jamais, mais qui s'amusait tout de même.

On apportait une planche de la cour, on la posait au bord du lit et on jouait aux dominos, pardi, et on faisait de rudes 170 parties, depuis deux heures jusqu'à six.

Mais la mère Toine devint bientôt insupportable. Elle ne pouvait point tolérer que son gros faignant d'homme continuât à se distraire, en jouant aux dominos dans son lit ; et chaque fois qu'elle voyait une partie commencée, elle 175 s'élançait avec fureur, culbutait la planche, saisissant le jeu, le rapportait dans le café et déclarait que c'était assez de nourrir ce gros suiffeux[3] à ne rien faire sans le voir encore se divertir comme pour narguer[4] le pauvre monde qui travaillait toute la journée.

---

notes

1. guètez-le : regardez-le (dialecte normand).

2. furet : petit mammifère, souvent dressé pour la chasse.

3. suiffeux : plein de graisse (de *suif* : graisse animale).

4. narguer : se moquer.

180   Célestin Maloisel et Césaire Paumelle courbaient la tête, mais Prosper Horslaville excitait la vieille, s'amusait de ses colères.

    La voyant un jour plus exaspérée que de coutume, il lui dit :

185   « Hé ! la mé, savez-vous c'que j'f'rais, mé, si j'étais de vous ? »

    Elle attendit qu'il s'expliquât, fixant sur lui son œil de chouette.

    Il reprit :

    « Il est chaud comme un four, vot'homme qui n'sort
190 point d'son lit. Eh ben, mé, j'li f'rais couver des œufs. »

    Elle demeura stupéfaite, pensant qu'on se moquait d'elle, considérant la figure mince et rusée du paysan qui continua :

    « J'y en mettrais cinq sous un bras, cinq sous l'autre, l'même jour que je donnerais la couvée à une poule. Ça
195 naîtrait d'même. Quand ils seraient éclos j'porterais à vot'poule les poussins de vot'homme pour qu'a les élève. Ça vous en f'rait de la volaille, la mé ! »

    La vieille interdite demanda :

    « Ça se peut-il ? »

200   L'homme reprit :

    « Si ça s'peut ! Pourqué que ça n'se pourrait point ! Pisqu'on fait ben couver d's œufs dans une boîte chaude, on peut ben en mett' couver dans un lit. »

    Elle fut frappée par ce raisonnement et s'en alla, songeuse
205 et calmée.

    Huit jours plus tard elle entra dans la chambre de Toine avec son tablier plein d'œufs. Et elle dit :

    « J'viens d'mett' la jaune au nid avec dix œufs. En v'là dix pour té. Tâche de n'point les casser. »

210   Toine éperdu, demanda :

    « Qué que tu veux ? »

Elle répondit :

« J'veux qu'tu les couves, propre à rien. »

Il rit d'abord ; puis, comme elle insistait, il se fâcha, il
215 résista, il refusa résolument de laisser mettre sous ses gros bras
cette graine de volaille que sa chaleur ferait éclore.

Mais la vieille, furieuse, déclara :

« Tu n'auras point d'fricot[1] tant que tu n'les prendras
point. J'verrons ben c'qu'arrivera. »

220 Toine, inquiet, ne répondit rien.

Quand il entendit sonner midi, il appela :

« Hé ! la mé, la soupe est-il cuite ? »

La vieille cria de sa cuisine :

« Y a point de soupe pour té, gros faignant. »

225 Il crut qu'elle plaisantait et attendit, puis il pria, supplia,
jura, fit des « va-t-au nord et des va-t-au sud » désespérés,
tapa la muraille à coups de poing, mais il dut se résigner à
laisser introduire dans sa couche cinq œufs contre son flanc
gauche. Après quoi il eut sa soupe.

230 Quand ses amis arrivèrent, ils le crurent tout à fait mal,
tant il paraissait drôle et gêné.

Puis on fit la partie de tous les jours. Mais Toine semblait
n'y prendre aucun plaisir et n'avançait la main qu'avec des
lenteurs et des précautions infinies.

235 « T'as donc l'bras noué ? » demandait Horslaville.

Toine répondit :

« J'ai quasiment t'une lourdeur dans l'épaule. »

Soudain, on entendit entrer dans le café, les joueurs se
turent.

---

notes

1. fricot : ragoût ou autre
mets ; ce que l'on mange,
en général.

240 C'était le maire avec l'adjoint. Ils demandèrent deux verres de fine et se mirent à causer des affaires du pays. Comme ils parlaient à voix basse, Toine Brûlot voulut coller son oreille contre le mur, et, oubliant ses œufs, il fit un brusque « va-t-au nord » qui le coucha sur une omelette.

245 Au juron qu'il poussa, la mère Toine accourut, et devinant le désastre, le découvrit d'une secousse. Elle demeura d'abord immobile, indignée, trop suffoquée pour parler devant le cataplasme[1] jaune collé sur le flanc de son homme.

Puis, frémissant de fureur, elle se rua sur le paralytique et 250 se mit à lui taper de grands coups sur le ventre, comme lorsqu'elle lavait son linge au bord de la mare. Ses mains tombaient l'une après l'autre avec un bruit sourd, rapides comme les pattes d'un lapin qui bat du tambour.

Les trois amis de Toine riaient à suffoquer, toussant, éter- 255 nuant, poussant des cris, et le gros homme effaré[2] parait les attaques de sa femme avec prudence, pour ne point casser encore les cinq œufs qu'il avait de l'autre côté.

III

Toine fut vaincu. Il dut couver, il dut renoncer aux parties de dominos, renoncer à tout mouvement, car la 260 vieille le privait de nourriture avec férocité chaque fois qu'il cassait un œuf.

Il demeurait sur le dos, l'œil au plafond, immobile, les bras soulevés comme des ailes, échauffant contre lui les germes de volailles enfermés dans les coques blanches.

notes

1. cataplasme : préparation médicinale qu'on applique sur la peau.

2. effaré : très étonné, stupéfié.

265 Il ne parlait plus qu'à voix basse comme s'il eût craint le bruit autant que le mouvement, et il s'inquiétait de la couveuse jaune qui accomplissait dans le poulailler la même besogne que lui.

Il demandait à sa femme :

270 « La jaune a-t-elle mangé anuit[1] ? »

Et la vieille allait de ses poules à son homme et de son homme à ses poules, obsédée, possédée par la préoccupation des petits poulets qui mûrissaient dans le lit et dans le nid.

Les gens du pays qui savaient l'histoire s'en venaient,
275 curieux et sérieux, prendre des nouvelles de Toine. Ils entraient à pas légers comme on entre chez les malades et demandaient avec intérêt :

« Eh bien ! ça va-t-il ? »

Toine répondait :

280 « Pour aller, ça va, mais j'ai maujeure[2] tant que ça m'échauffe. J'ai des frémis[3] qui me galopent sur la peau. »

Or, un matin, sa femme entra très émue et déclara :

« La jaune en a sept. Y avait trois œufs de mauvais. »

Toine sentit battre son cœur. Combien en aurait-il, lui ?

285 Il demanda :

« Ce sera tantôt ? » avec une angoisse de femme qui va devenir mère.

La vieille répondit d'un air furieux, torturée par la crainte d'un insuccès :

290 « Faut croire ! »

Ils attendirent. Les amis prévenus que les temps étaient proches arrivèrent bientôt inquiets eux-mêmes.

---

notes

1. anuit : aujourd'hui. **2. maujeure :** démangeaison (dialecte normand). **3. frémis :** fourmis.

On en jasait dans les maisons. On allait s'informer aux portes voisines.

Vers trois heures, Toine s'assoupit. Il dormait maintenant la moitié des jours. Il fut réveillé soudain par un chatouillement inusité[1] sous le bras droit. Il y porta aussitôt la main gauche et saisit une bête couverte de duvet jaune, qui remuait dans ses doigts.

Son émotion fut telle, qu'il se mit à pousser des cris, et il lâcha le poussin qui courut sur sa poitrine. Le café était plein de monde. Les buveurs se précipitèrent, envahirent la chambre, firent cercle comme autour d'un saltimbanque, et la vieille étant arrivée cueillit avec précaution la bestiole blottie sous la barbe de son mari.

Personne ne parlait plus. C'était par un jour chaud d'avril. On entendait par la fenêtre ouverte glousser la poule jaune appelant ses nouveau-nés.

Toine, qui suait d'émotion, d'angoisse, d'inquiétude, murmura :

« J'en ai encore un sous le bras gauche, à c't'heure. »

Sa femme plongea dans le lit sa grande main maigre, et ramena un second poussin, avec des mouvements soigneux de sage-femme.

Les voisins voulurent le voir. On se le repassa en le considérant attentivement comme s'il eût été un phénomène.

Pendant vingt minutes, il n'en naquit pas, puis quatre sortirent en même temps de leurs coquilles.

Ce fut une grande rumeur parmi les assistants. Et Toine sourit, content de son succès, commençant à s'enorgueillir de cette paternité singulière. On n'en avait pas souvent vu

notes

1. *inusité :* inhabituel.

comme lui, tout de même ! C'était un drôle d'homme, vraiment !

Il déclara :

325 « Ça fait six. Nom de nom, qué baptême ! »

Et un grand rire s'éleva dans le public. D'autres personnes emplissaient le café. D'autres encore attendaient devant la porte. On se demandait :

« Combien qu'i en a ?

330 — Y en a six. »

La mère Toine portait à la poule cette famille nouvelle, et la poule gloussait éperdument, hérissait ses plumes, ouvrait les ailes toutes grandes pour abriter la troupe grossissante de ses petits.

335 « En v'là encore un ! » cria Toine.

Il s'était trompé, il y en avait trois ! Ce fut un triomphe ! Le dernier creva son enveloppe à sept heures du soir. Tous les œufs étaient bons ! Et Toine affolé de joie, délivré, glorieux, baisa sur le dos le frêle animal, faillit l'étouffer avec ses lèvres. Il voulut

340 le garder dans son lit, celui-là, jusqu'au lendemain, saisi par une tendresse de mère pour cet être si petiot qu'il avait donné à la vie ; mais la vieille l'emporta comme les autres sans écouter les supplications de son homme.

Les assistants, ravis, s'en allèrent en devisant de l'événe-

345 ment, et Horslaville resté le dernier, demanda :

« Dis donc, pé Toine, tu m'invites à fricasser l'premier, pas vrai ? »

À cette idée de fricassée[1], le visage de Toine s'illumina, et le gros homme répondit :

350 « Pour sûr que je t'invite, mon gendre. »

notes

1. fricassée : ragoût, plat dans lequel entrent des morceaux de viande.

Au fil du texte

AVEZ-VOUS BIEN LU ?

1. En quoi Toine et sa femme diffèrent-ils (physique, moral, activités) ?

2. Que reproche la femme à son mari ?

3. La mère Toine est-elle compatissante★ ? Relevez quelques exemples de cruauté.

4. Quel événement change la vie de Toine ?

5. Qui a eu l'idée de lui faire couver les œufs ? Est-ce par méchanceté ?

6. Pourquoi accepte-t-il de couver ?

7. Avec qui Toine est-il en compétition ? Qui est finalement vainqueur ?

8. Combien de temps a duré l'éclosion des poussins ?

9. Le caractère de Toine s'est-il modifié, à la fin du conte ?

compatissante : qui éprouve de la pitié.

dialecte : manière de parler particulière à une région.

ÉTUDIER LA GRAMMAIRE

10. Justifiez le temps et le mode des formes verbales : *fût goûté* (ligne 69), *mangeât* (ligne 70), *déclarât* (ligne 78).

11. Le dialecte★ normand : relevez des formes typiques et des tournures incorrectes en français.

ÉTUDIER LE DISCOURS

12. Dans ses propos, la femme de Toine utilise souvent l'invective★ : relevez les termes injurieux qu'elle adresse à son mari.

13. Réécrivez au style indirect★ les phrases : « *Il est chaud comme un four* [...] *couver des œufs.* » (lignes 189-190) et « *Ça fait six. Nom de nom, qué baptême !* » (ligne 325). Quels mots ne peuvent être retranscrits ?

14. Réécrivez ces mêmes phrases au style indirect libre.

ÉTUDIER L'ÉCRITURE

15. Relevez les comparaisons★ et les métaphores★ animales qui caractérisent Toine, Horslaville et la mère Toine.

16. Les comparaisons et les métaphores qui caractérisent la mère Toine et le nom que lui donne son mari (ligne 87) relèvent tous du même champ lexical★. Lequel ?

17. Établissez le champ lexical de la naissance (lignes 285 à 343).

À VOS PLUMES !

18. Quelques jours plus tard, Prosper Horslaville s'en vient « *fricasser* » chez Toine. Décrivez la scène en respectant le caractère des personnages.

invective : parole violente.

style indirect : à l'inverse du style direct, il ne rapporte pas telles quelles les paroles prononcées.

comparaison : rapprochement de termes exprimé à l'aide de mots outils (comme, ainsi que…).

métaphore : rapprochement de termes exprimé sans mots outils, de façon implicite.

champ lexical : ensemble de mots se rapportant à une même idée.

Le Père Milon

Depuis un mois, le large soleil jette aux champs sa flamme cuisante. La vie radieuse éclôt sous cette averse de feu ; la terre est verte à perte de vue. Jusqu'aux bords de l'horizon, le ciel est bleu. Les fermes normandes
5   semées par la plaine semblent, de loin, de petits bois, enfermées dans leur ceinture de hêtres élancés. De près, quand on ouvre la barrière vermoulue, on croit voir un jardin géant, car tous les antiques pommiers, osseux comme les paysans, sont en fleurs. Les vieux troncs noirs,
10   crochus, tortus[1], alignés par la cour, étalent sous le ciel leurs dômes éclatants, blancs et roses. Le doux parfum de leur épanouissement se mêle aux grasses senteurs des étables ouvertes et aux vapeurs du fumier qui fermente, couvert de poules.

notes

1. tortus : tordus.

15 Il est midi. La famille dîne à l'ombre du poirier planté devant la porte : le père, la mère, les quatre enfants, les deux servantes et les trois valets. On ne parle guère. On mange la soupe, puis on découvre le plat de fricot[1] plein de pommes de terre au lard.

20 De temps en temps, une servante se lève et va remplir au cellier[2] la cruche au cidre.

L'homme, un grand gars de quarante ans, contemple, contre sa maison, une vigne restée nue, et courant, tordue comme un serpent, sous les volets, tout le long du mur.

25 Il dit enfin : « La vigne au père bourgeonne de bonne heure c't'année. P't-être qu'a donnera[3]. »

La femme aussi se retourne et regarde, sans dire un mot.

Cette vigne est plantée juste à la place où le père a été fusillé.

30 C'était pendant la guerre de 1870. Les Prussiens occupaient tout le pays. Le général Faidherbe[4], avec l'armée du Nord, leur tenait tête.

Or l'état-major prussien s'était posté dans cette ferme. Le vieux paysan qui la possédait, le père Milon, Pierre, les avait 35 reçus et installés de son mieux.

Depuis un mois l'avant-garde allemande restait en observation dans le village. Les Français demeuraient immobiles,

---

notes

1. fricot : ragoût ou autre mets ; ce que l'on mange en général.

2. cellier : pièce où l'on conserve les provisions, le vin, le cidre.

3. donnera (du raisin).

4. Faidherbe (1818-1889) : commandant l'armée du Nord, il vainquit les Prussiens à Bapaume le 4 janvier 1871 avant d'être vaincu quelques jours plus tard à Saint-Quentin.

à dix lieues[1] de là ; et cependant, chaque nuit, des uhlans[2] disparaissaient.

Tous les éclaireurs isolés, ceux qu'on envoyait faire des rondes, alors qu'ils partaient à deux ou trois seulement, ne rentraient jamais.

On les ramassait morts, au matin, dans un champ, au bord d'une cour, dans un fossé. Leurs chevaux eux-mêmes gisaient le long des routes, égorgés d'un coup de sabre.

Ces meurtres semblaient accomplis par les mêmes hommes, qu'on ne pouvait découvrir.

Le pays fut terrorisé. On fusilla des paysans sur une simple dénonciation, on emprisonna des femmes ; on voulut obtenir, par la peur, des révélations des enfants. On ne découvrit rien.

Mais voilà qu'un matin, on aperçut le père Milon étendu dans son écurie, la figure coupée d'une balafre.

Deux uhlans éventrés furent retrouvés à trois kilomètres de la ferme. Un d'eux tenait encore à la main son arme ensanglantée. Il s'était battu, défendu.

Un conseil de guerre ayant été aussitôt constitué, en plein air, devant la ferme, le vieux fut amené.

Il avait soixante-huit ans. Il était petit, maigre, un peu tors[3], avec de grandes mains pareilles à des pinces de crabe. Ses cheveux ternes, rares et légers comme un duvet de jeune canard, laissaient voir partout la chair du crâne. La peau brune et plissée du cou montrait de grosses veines qui s'enfonçaient sous les mâchoires et reparaissaient aux tempes. Il passait dans la contrée pour avare et difficile en affaires.

notes

1. **lieue :** mesure de distance qui valait environ 4 km.   2. **uhlans :** lanciers (cavaliers) de l'armée prussienne.   3. **tors :** tordu.

On le plaça debout, entre quatre soldats, devant la table de cuisine tirée dehors. Cinq officiers et le colonel s'assirent en face de lui.

Le colonel prit la parole en français.

70 « Père Milon, depuis que nous sommes ici, nous n'avons eu qu'à nous louer de vous. Vous avez toujours été complaisant et même attentionné pour nous. Mais aujourd'hui une accusation terrible pèse sur vous, et il faut que la lumière se fasse. Comment avez-vous reçu la blessure que vous portez
75 sur la figure ? »

Le paysan ne répondit rien.

Le colonel reprit :

« Votre silence vous condamne, père Milon. Mais je veux que vous me répondiez, entendez-vous ? Savez-vous qui
80 a tué les deux uhlans qu'on a trouvés ce matin près du Calvaire ? »

Le vieux articula nettement :

« C'est mé. »

Le colonel, surpris, se tut une seconde, regardant fixe-
85 ment le prisonnier. Le père Milon demeurait impassible, avec son air abruti de paysan, les yeux baissés comme s'il eût parlé à son curé. Une seule chose pouvait révéler un trouble intérieur, c'est qu'il avalait coup sur coup sa salive, avec un effort visible, comme si sa gorge eût été tout à fait étranglée.
90 La famille du bonhomme, son fils Jean, sa bru[1] et deux petits enfants se tenaient à dix pas en arrière, effarés[2] et consternés.

Le colonel reprit :

« Savez-vous aussi qui a tué tous les éclaireurs de notre
95 armée qu'on retrouve chaque matin, par la campagne,
depuis un mois ? »

Le vieux répondit avec la même impassibilité de brute :

« C'est mé.

– C'est vous qui les avez tués tous ?

100 – Tretous[1] oui, c'est mé.

– Vous seul ?

– Mé seul.

– Dites-moi comment vous vous y preniez. »

Cette fois l'homme parut ému ; la nécessité de parler
105 longtemps le gênait visiblement. Il balbutia :

« Je sais-ti, mé ? J'ai fait ça comme ça s' trouvait. »

Le colonel reprit :

« Je vous préviens qu'il faudra que vous me disiez tout.
Vous ferez donc bien de vous décider immédiatement.
110 Comment avez-vous commencé ? »

L'homme jeta un regard inquiet sur sa famille attentive
derrière lui. Il hésita un instant encore, puis, tout à coup,
se décida.

« Je r'venais un soir, qu'il était p't-être dix heures, le len-
115 d'main que vous étiez ici. Vous, et pi[2] vos soldats, vous
m'aviez pris pour pu de chinquante écus de fourrage avec
une vaque[3] et deux moutons. Je me dis : tant qu'i me pren-
dront de fois vingt écus, tant que je leur y revaudrai ça. Et
pi, j'avais d'autres choses itou[4] su l'cœur, que j' vous dirai.

---

notes

1. tretous : forme d'insistance pour *tous*.

2. pi : puis.

3. vaque : vache.

4. itou : aussi.

120 V'là qu' j'en aperçois un d' vos cavaliers qui fumait sa pipe su mon fossé, derrière ma grange. J'allai décrocher ma faux et je r'vins à p'tits pas par derrière, qu'il n'entendit seulement rien. Et j'li coupai la tête d'un coup, d'un seul, comme un épi, qu'il n'a pas seulement dit "ouf !" Vous n'auriez qu'à

125 chercher au fond d' la mare : vous le trouveriez dans un sac à charbon, avec une pierre de la barrière.

J'avais mon idée. J' pris tous ses effets d'puis les bottes jusqu'au bonnet et je les cachai dans le four à plâtre du bois Martin, derrière la cour. »

130 Le vieux se tut. Les officiers, interdits, se regardaient. L'interrogatoire recommença ; et voici ce qu'ils apprirent.

Une fois son meurtre accompli, l'homme avait vécu avec cette pensée : « Tuer des Prussiens ! » Il les haïssait d'une haine sournoise et acharnée de paysan cupide et patriote

135 aussi. Il avait son idée comme il disait. Il attendit quelques jours.

On le laissait libre d'aller et de venir, d'entrer et de sortir à sa guise tant il s'était montré humble envers les vainqueurs, soumis et complaisant. Or il voyait, chaque soir, partir les

140 estafettes[1] ; et il sortit, une nuit, ayant entendu le nom du village où se rendaient les cavaliers, et ayant appris, dans la fréquentation des soldats, les quelques mots d'allemand qu'il lui fallait.

Il sortit de sa cour, se glissa dans le bois, gagna le four à

145 plâtre, pénétra au fond de la longue galerie et, ayant retrouvé par terre les vêtements du mort, il s'en vêtit.

notes

1. estafettes : soldats porteurs de dépêches (messages).

Alors, il se mit à rôder par les champs, rampant, suivant les talus pour se cacher, écoutant les moindres bruits, inquiet comme un braconnier.

150 Lorsqu'il crut l'heure arrivée, il se rapprocha de la route et se cacha dans une broussaille. Il attendit encore. Enfin, vers minuit, un galop de cheval sonna sur la terre dure du chemin. L'homme mit l'oreille à terre pour s'assurer qu'un seul cavalier s'approchait, puis il s'apprêta.

155 Le uhlan arrivait au grand trot, rapportant des dépêches[1]. Il allait, l'œil en éveil, l'oreille tendue. Dès qu'il ne fut plus qu'à dix pas, le père Milon se traîna en travers de la route en gémissant : « Hilfe ! Hilfe ! À l'aide, à l'aide ! » Le cavalier s'arrêta, reconnut un Allemand démonté[2], le crut blessé, 160 descendit de cheval, s'approcha sans soupçonner rien et, comme il se penchait sur l'inconnu, il reçut au milieu du ventre la longue lame courbée du sabre. Il s'abattit, sans agonie, secoué seulement par quelques frissons suprêmes.

Alors le Normand, radieux d'une joie muette de vieux 165 paysan, se releva, et pour son plaisir, coupa la gorge du cadavre. Puis, il le traîna jusqu'au fossé et l'y jeta.

Le cheval, tranquille, attendait son maître. Le père Milon se mit en selle, et il partit au galop à travers les plaines.

Au bout d'une heure, il aperçut encore deux uhlans côte 170 à côte qui rentraient au quartier. Il alla droit sur eux, criant encore : « Hilfe ! Hilfe ! » Les Prussiens le laissaient venir, reconnaissant l'uniforme, sans méfiance aucune. Et il passa, le vieux, comme un boulet entre les deux, les abattant l'un et l'autre avec son sabre et un revolver.

notes

1. dépêches : messages officiels.

2. démonté : qui n'est plus sur sa monture, qui est tombé de son cheval.

175 Puis il égorgea les chevaux, des chevaux allemands ! Puis il rentra doucement au four à plâtre et cacha un cheval au fond de la sombre galerie. Il y quitta son uniforme, reprit ses hardes de gueux[1] et, regagnant son lit, dormit jusqu'au matin.

180 Pendant quatre jours, il ne sortit pas, attendant la fin de l'enquête ouverte ; mais, le cinquième jour, il repartit, et tua encore deux soldats par le même stratagème[2]. Dès lors, il ne s'arrêta plus. Chaque nuit, il errait, il rôdait à l'aventure, abattant des Prussiens, tantôt ici, tantôt là, galopant par

185 les champs déserts, sous la lune, uhlan perdu, chasseur d'hommes. Puis, sa tâche finie, laissant derrière lui des cadavres couchés le long des routes, le vieux cavalier rentrait cacher au fond du four à plâtre son cheval et son uniforme.

Il allait vers midi, d'un air tranquille, porter de l'avoine et

190 de l'eau à sa monture restée au fond du souterrain, et il la nourrissait à profusion[3], exigeant d'elle un grand travail.

Mais, la veille, un de ceux qu'il avait attaqués se tenait sur ses gardes et avait coupé d'un coup de sabre la figure du vieux paysan.

195 Il les avait tués cependant tous les deux ! Il était revenu encore, avait caché le cheval et repris ses humbles habits ; mais en rentrant, une faiblesse l'avait saisi et il s'était traîné jusqu'à l'écurie, ne pouvant plus gagner la maison.

On l'avait trouvé là tout sanglant, sur la paille...

---

notes

1. hardes de gueux : vieux habits de pauvre.

2. stratagème : ruse.

3. à profusion : abondamment.

200   Quand il eut fini son récit, il releva soudain la tête et regarda fièrement les officiers prussiens.

Le colonel, qui tirait sa moustache, lui demanda :

« Vous n'avez plus rien à dire ?

— Non, pu rien ; l'conte est juste : j'en ai tué seize, pas un
205   de pus, pas un de moins.

— Vous savez que vous allez mourir ?

— J' vous ai pas d'mandé de grâce.

— Avez-vous été soldat ?

— Oui. J'ai fait campagne, dans le temps. Et puis, c'est vous
210   qu'avez tué mon père, qu'était soldat de l'Empereur premier. Sans compter que vous avez tué mon fils cadet, François, le mois dernier, auprès d'Évreux. Je vous en devais, j'ai payé. Je sommes quittes. »

Les officiers se regardaient.

215   Le vieux reprit :

« Huit pour mon père, huit pour mon fieu[1], je sommes quittes. J'ai pas été vous chercher querelle, mé ! J' vous connais point ! J' sais pas seulement d'où qu' vous v'nez. Vous v'là chez mé, que vous y commandez comme si c'était
220   chez vous. Je m' suis vengé sur l's autres. J' m'en r'pens point. »

Et, redressant son torse ankylosé[2], le vieux croisa ses bras dans une pose d'humble héros.

Les Prussiens se parlèrent bas longtemps. Un capitaine, qui avait aussi perdu son fils, le mois dernier, défendait ce
225   gueux magnanime.

Alors le colonel se leva et, s'approchant du père Milon, baissant la voix :

---

notes

1. fieu : fils.

2. ankylosé : engourdi.

« Écoutez, le vieux, il y a peut-être un moyen de vous sauver la vie, c'est de... »

230 Mais le bonhomme n'écoutait point, et, les yeux plantés droits sur l'officier vainqueur, tandis que le vent agitait les poils follets de son crâne, il fit une grimace affreuse qui crispa sa maigre face toute coupée par la balafre, et, gonflant sa poitrine, il cracha, de toute sa force, en pleine figure du

235 Prussien.

Le colonel, affolé, leva la main, et l'homme, pour la seconde fois, lui cracha par la figure.

Tous les officiers s'étaient dressés et hurlaient des ordres en même temps.

240 En moins d'une minute, le bonhomme, toujours impassible, fut collé contre le mur et fusillé alors qu'il envoyait des sourires à Jean, son fils aîné ; à sa bru et aux deux petits, qui regardaient, éperdus.

Édouard Detaille,
En batterie, charge de cavalerie, 1870.

Au fil du texte

AVEZ-VOUS BIEN LU ?

1. Pourquoi le père Milon est-il fusillé ?

2. Quelles ont été les motivations de ses actes ?

3. En quelle année l'action se déroule-t-elle ?

4. Quand le récit en est-il fait ? (Essayez d'évaluer le temps passé d'après l'âge du père et la composition de la famille au début et à la fin du conte.)

préfixe :
dans un mot composé, c'est l'élément qui est placé devant le radical.

narrateur :
celui qui raconte.

ÉTUDIER LE VOCABULAIRE

5. Quelle est la valeur du préfixe★ dans les termes « *immobiles* » (ligne 37) et « *impassible* » (ligne 85) ?

ÉTUDIER LE DISCOURS

6. Le narrateur★ participe-t-il à l'action, ou est-il à l'extérieur de celle-ci ?

7. Dans les lignes 114 à 126, relevez les pronoms personnels et les adjectifs possessifs utilisés par le père Milon : ne sont-ils pas révélateurs de son désir de vengeance ?

ÉTUDIER L'ÉCRITURE

8. Dans le premier paragraphe, relevez les adjectifs de couleur ainsi que les groupes nominaux exprimant la chaleur. Quelle est l'impression produite ?

9. Quel est l'effet produit par la dernière phrase de la première partie (lignes 28-29) ?

10. Quatre comparaisons★ entrent dans le portrait et l'attitude du père Milon (lignes 59 à 89). Relevez-les.

11. Le dénouement★ est raconté en quatre lignes : quels sont les effets recherchés ?

ÉTUDIER UN THÈME : LA CRUAUTÉ

12. D'après sa réaction après le deuxième meurtre, montrez la cruauté du héros. Relevez, quelques lignes plus loin, un autre trait de cruauté.

À VOS PLUMES !

13. Le père Milon utilise le dialecte★ normand. Réécrivez en français le passage : « *Je r'venais un soir* […] *qu'il n'entendit seulement rien.* » (lignes 114 à 123).

14. « *Écoutez, le vieux, il y a peut-être un moyen de vous sauver la vie, c'est de...* » (lignes 228-229). Imaginez un autre dénouement en développant la proposition du colonel prussien.

LIRE L'IMAGE

15. Observez le tableau de la page 31, son titre, sa date de réalisation. Illustre-t-il fidèlement la nouvelle ?

comparaison : rapprochement de termes exprimé à l'aide de mots outils (comme, ainsi que...).

dénouement : manière dont le récit s'achève.

dialecte : manière de parler particulière à une région.

La Mère Sauvage

À Georges Pouchet[1].

I

Je n'étais point revenu à Virelogne[2] depuis quinze ans. J'y retournai chasser, à l'automne, chez mon ami Serval, qui avait enfin fait reconstruire son château, détruit par les Prussiens.

5   J'aimais ce pays infiniment. Il est des coins du monde délicieux qui ont pour les yeux un charme sensuel. On les aime d'un amour physique. Nous gardons, nous autres que séduit la terre, des souvenirs tendres pour certaines sources, certains bois, certains étangs, certaines collines,
10   vus souvent et qui nous ont attendris à la façon des événements heureux. Quelquefois même la pensée retourne vers un coin de forêt, ou un bout de berge, ou un verger

notes

1. *Georges Pouchet (1833-1894) :* professeur d'anatomie comparée au Muséum d'histoire naturelle.

2. *Virelogne :* nom inventé par l'auteur.

poudré de fleurs, aperçus une seule fois, par un jour gai, et restés en notre cœur comme ces images de femmes
15 rencontrées dans la rue, un matin de printemps, avec une toilette claire et transparente, et qui nous laissent dans l'âme et dans la chair un désir inapaisé, inoubliable, la sensation du bonheur coudoyé[1].

À Virelogne, j'aimais toute la campagne, semée de petits
20 bois et traversée par des ruisseaux qui couraient dans le sol comme des veines, portant le sang à la terre. On pêchait là-dedans des écrevisses, des truites et des anguilles ! Bonheur divin ! On pouvait se baigner par places, et on trouvait souvent des bécassines[2] dans les hautes herbes qui
25 poussaient sur les bords de ces minces cours d'eau.

J'allais, léger comme une chèvre, regardant mes deux chiens fourrager devant moi. Serval, à cent mètres sur ma droite, battait un champ de luzerne. Je tournai les buissons qui forment la limite du bois des Saudres, et j'aperçus une
30 chaumière[3] en ruines.

Tout à coup, je me la rappelai telle que je l'avais vue pour la dernière fois, en 1869, propre, vêtue de vignes, avec des poules devant la porte. Quoi de plus triste qu'une maison morte, avec son squelette debout, délabré, sinistre ?
35 Je me rappelai aussi qu'une bonne femme m'avait fait boire un verre de vin là-dedans, un jour de grande fatigue, et que Serval m'avait dit alors l'histoire des habitants. Le père, vieux braconnier, avait été tué par les gendarmes. Le fils, que j'avais vu autrefois, était un grand garçon sec qui
40 passait également pour un féroce destructeur de gibier. On les appelait les Sauvage.

notes

1. coudoyé : touché du coude, c'est-à-dire côtoyé, approché.

2. bécassine : oiseau à très long bec, vivant dans les marais.

3. chaumière : maison couverte de chaume.

Était-ce un nom ou un sobriquet[1] ?
Je hélai Serval. Il s'en vint de son long pas d'échassier.
Je lui demandai :
45   — Que sont devenus les gens de là ?
Et il me conta cette aventure.

II

Lorsque la guerre fut déclarée, le fils Sauvage, qui avait
alors trente-trois ans, s'engagea, laissant la mère seule au
logis. On ne la plaignait pas trop, la vieille, parce qu'elle avait
50 de l'argent, on le savait.

Elle resta donc toute seule dans cette maison isolée si loin
du village, sur la lisière du bois. Elle n'avait pas peur, du reste,
étant de la même race que ses hommes, une rude vieille,
haute et maigre, qui ne riait pas souvent et avec qui on ne
55 plaisantait point. Les femmes des champs ne rient guère
d'ailleurs. C'est affaire aux hommes, cela ! Elles ont l'âme
triste et bornée, ayant une vie morne et sans éclaircie. Le
paysan apprend un peu de gaieté bruyante au cabaret, mais
sa compagne reste sérieuse avec une physionomie constam-
60 ment sévère. Les muscles de leur face n'ont point appris les
mouvements du rire.

La mère Sauvage continua son existence ordinaire dans sa
chaumière, qui fut bientôt couverte par les neiges. Elle s'en
venait au village, une fois par semaine, chercher du pain et
65 un peu de viande ; puis elle retournait dans sa masure[2].
Comme on parlait des loups, elle sortait le fusil au dos, le

notes

1. sobriquet : surnom.

2. masure : dans ce contexte,
ce ne peut être une maison
délabrée ; synonyme de
maison.

fusil du fils, rouillé, avec la crosse usée par le frottement de la main ; et elle était curieuse à voir, la grande Sauvage, un peu courbée, allant à lentes enjambées par la neige, le canon de l'arme dépassant la coiffe noire qui lui serrait la tête et emprisonnait ses cheveux blancs, que personne n'avait jamais vus.

Un jour les Prussiens arrivèrent. On les distribua[1] aux habitants, selon la fortune et les ressources de chacun. La vieille, qu'on savait riche, en eut quatre.

C'étaient quatre gros garçons à la chair blonde, à la barbe blonde, aux yeux bleus, demeurés gras malgré les fatigues qu'ils avaient endurées déjà, et bons enfants, bien qu'en pays conquis. Seuls chez cette femme âgée, ils se montrèrent pleins de prévenances[2] pour elle, lui épargnant, autant qu'ils le pouvaient, des fatigues et des dépenses. On les voyait tous les quatre faire leur toilette autour du puits, le matin, en manches de chemise, mouillant à grande eau, dans le jour cru des neiges, leur chair blanche et rose d'hommes du Nord, tandis que la mère Sauvage allait et venait, préparant la soupe. Puis on les voyait nettoyer la cuisine, frotter les carreaux, casser du bois, éplucher les pommes de terre, laver le linge, accomplir toutes les besognes de la maison, comme quatre bons fils autour de leur mère.

Mais elle pensait sans cesse au sien, la vieille, à son grand maigre au nez crochu, aux yeux bruns, à la forte moustache qui faisait sur sa lèvre un bourrelet de poils noirs. Elle demandait chaque jour, à chacun des soldats installés à son foyer :

---

notes

1. On les distribua : on les répartit chez les habitants qui devaient les nourrir.

2. prévenances : attentions, marques de gentillesse.

95   — Savez-vous où est parti le régiment français, vingt-troisième de marche[1] ? Mon garçon est dedans.

Ils répondaient : « Non, bas su, bas savoir tu tout. » Et, comprenant sa peine et ses inquiétudes, eux qui avaient des mères là-bas, ils lui rendaient mille petits soins. Elle les aimait

100 bien, d'ailleurs, ses quatre ennemis ; car les paysans n'ont guère les haines patriotiques ; cela n'appartient qu'aux classes supérieures. Les humbles, ceux qui paient le plus parce qu'ils sont pauvres et que toute charge nouvelle les accable, ceux qu'on tue par masses, qui forment la vraie chair à canon,

105 parce qu'ils sont le nombre, ceux qui souffrent enfin le plus cruellement des atroces misères de la guerre, parce qu'ils sont les plus faibles et les moins résistants, ne comprennent guère ces ardeurs belliqueuses, ce point d'honneur excitable et ces prétendues combinaisons politiques qui épuisent en

110 six mois deux nations, la victorieuse comme la vaincue.

On disait dans le pays, en parlant des Allemands de la mère Sauvage :

— En v'là quatre qu'ont trouvé leur gîte.

Or, un matin, comme la vieille femme était seule au logis,

115 elle aperçut au loin dans la plaine un homme qui venait vers sa demeure. Bientôt elle le reconnut, c'était le piéton[2] chargé de distribuer les lettres. Il lui remit un papier plié et elle tira de son étui les lunettes dont elle se servait pour coudre ; puis elle lut :

120   « Madame Sauvage, la présente est pour vous porter une triste nouvelle. Votre garçon Victor a été tué hier par un boulet, qui l'a censément[3] coupé en deux parts. J'étais tout

notes

1. régiment [...] de marche : régiment formé d'hommes appartenant à plusieurs corps uniquement pour les conduire à leur destination.

2. piéton : facteur (qui fait sa tournée à pied).

3. censément : pour ainsi dire, pratiquement.

près, vu que nous nous trouvions côte à côte dans la compagnie et qu'il me parlait de vous pour vous prévenir au jour
125 même s'il lui arrivait malheur.

« J'ai pris dans sa poche sa montre pour vous la reporter
quand la guerre sera finie.

« Je vous salue amicalement.

« CÉSAIRE RIVOT,
130 « Soldat de 2e classe au 23e de marche. »

La lettre était datée de trois semaines.

Elle ne pleurait point. Elle demeurait immobile, tellement saisie, hébétée[1], qu'elle ne souffrait même pas encore.
Elle pensait : « V'là Victor qu'est tué, maintenant. » Puis peu
135 à peu les larmes montèrent à ses yeux, et la douleur envahit
son cœur. Les idées lui venaient une à une, affreuses, tortu-
rantes. Elle ne l'embrasserait plus, son enfant, son grand, plus
jamais ! Les gendarmes avaient tué le père, les Prussiens
avaient tué le fils... Il avait été coupé en deux par un boulet.
140 Et il lui semblait qu'elle voyait la chose, la chose horrible :
la tête tombant, les yeux ouverts, tandis qu'il mâchait le
coin de sa grosse moustache, comme il faisait aux heures
de colère.

Qu'est-ce qu'on avait fait de son corps, après ? Si seule-
145 ment on lui avait rendu son enfant, comme on lui avait
rendu son mari, avec sa balle au milieu du front ?

Mais elle entendit un bruit de voix. C'étaient les
Prussiens qui revenaient du village. Elle cacha bien vite la
lettre dans sa poche et elle les reçut tranquillement avec sa
150 figure ordinaire, ayant eu le temps de bien essuyer ses yeux.

notes
_____

1. hébétée : ahurie, stupide.

Ils riaient tous les quatre, enchantés, car ils rapportaient un beau lapin, volé sans doute, et ils faisaient signe à la vieille qu'on allait manger quelque chose de bon.

155 Elle se mit tout de suite à la besogne pour préparer le déjeuner ; mais, quand il fallut tuer le lapin, le cœur lui manqua. Ce n'était pas le premier pourtant ! Un des soldats l'assomma d'un coup de poing derrière les oreilles.

Une fois la bête morte, elle fit sortir le corps rouge de la peau ; mais la vue du sang qu'elle maniait, qui lui couvrait 160 les mains, du sang tiède qu'elle sentait se refroidir et se coaguler, la faisait trembler de la tête aux pieds ; et elle voyait toujours son grand coupé en deux, et tout rouge aussi, comme cet animal encore palpitant.

Elle se mit à table avec ses Prussiens, mais elle ne put 165 manger, pas même une bouchée. Ils dévorèrent le lapin sans s'occuper d'elle. Elle les regardait de côté, sans parler, mûrissant une idée, et le visage tellement impassible qu'ils ne s'aperçurent de rien.

Tout à coup, elle demanda : « Je ne sais seulement point 170 vos noms, et v'là un mois que nous sommes ensemble. » Ils comprirent, non sans peine, ce qu'elle voulait, et dirent leurs noms. Cela ne lui suffisait pas ; elle se les fit écrire sur un papier, avec l'adresse de leurs familles, et, reposant ses lunettes sur son grand nez, elle considéra cette écriture 175 inconnue, puis elle plia la feuille et la mit dans sa poche, par-dessus la lettre qui lui disait la mort de son fils.

Quand le repas fut fini, elle dit aux hommes :

– J' vas travailler pour vous.

Et elle se mit à monter du foin dans le grenier où ils 180 couchaient.

Ils s'étonnèrent de cette besogne ; elle leur expliqua qu'ils auraient moins froid ; et ils l'aidèrent. Ils entassaient des bottes jusqu'au toit de paille ; et ils se firent ainsi une sorte de grande chambre avec quatre murs de fourrage, chaude et parfumée, où ils dormiraient à merveille.

Au dîner, un d'eux s'inquiéta de voir que la mère Sauvage ne mangeait point encore. Elle affirma qu'elle avait des crampes. Puis elle alluma un bon feu pour se chauffer, et les quatre Allemands montèrent dans leur logis par l'échelle qui leur servait tous les soirs.

Dès que la trappe fut refermée, la vieille enleva l'échelle, puis rouvrit sans bruit la porte du dehors, et elle retourna chercher des bottes de paille dont elle emplit sa cuisine. Elle allait nu-pieds, dans la neige, si doucement qu'on n'entendait rien. De temps en temps elle écoutait les ronflements sonores et inégaux des quatre soldats endormis.

Quand elle jugea suffisants ses préparatifs, elle jeta dans le foyer une des bottes, et, lorsqu'elle fut enflammée, elle l'éparpilla sur les autres, puis elle ressortit et regarda.

Une clarté violente illumina en quelques secondes tout l'intérieur de la chaumière, puis ce fut un brasier effroyable, un gigantesque four ardent, dont la lueur jaillissait par l'étroite fenêtre et jetait sur la neige un éclatant rayon.

Puis un grand cri partit du sommet de la maison, puis ce fut une clameur de hurlements humains, d'appels déchirants d'angoisse et d'épouvante. Puis, la trappe s'étant écroulée à l'intérieur, un tourbillon de feu s'élança dans le grenier, perça le toit de paille, monta dans le ciel comme une immense flamme de torche ; et toute la chaumière flamba.

On n'entendait plus rien dedans que le crépitement de l'incendie, le craquement des murs, l'écroulement des poutres. Le toit tout à coup s'effondra, et la carcasse ardente de la demeure lança dans l'air, au milieu d'un nuage de fumée, un grand panache d'étincelles.

215 La campagne, blanche, éclairée par le feu, luisait comme une nappe d'argent teintée de rouge.

Une cloche, au loin, se mit à sonner.

La vieille Sauvage restait debout, devant son logis détruit, armée de son fusil, celui du fils, de crainte qu'un des 220 hommes n'échappât.

Quand elle vit que c'était fini, elle jeta son arme dans le brasier. Une détonation retentit.

Des gens arrivaient, des paysans, des Prussiens.

On trouva la femme assise sur un tronc d'arbre, tranquille 225 et satisfaite.

Un officier allemand, qui parlait le français comme un fils de France, lui demanda :

– Où sont vos soldats ?

Elle tendit son bras maigre vers l'amas rouge de l'in- 230 cendie qui s'éteignait, et elle répondit d'une voix forte :

– Là-dedans !

On se pressait autour d'elle. Le Prussien demanda :

– Comment le feu a-t-il pris ?

Elle prononça :

235 – C'est moi qui l'ai mis.

On ne la croyait pas, on pensait que le désastre l'avait soudain rendue folle. Alors, comme tout le monde l'entou-rait et l'écoutait, elle dit la chose d'un bout à l'autre, depuis l'arrivée de la lettre jusqu'au dernier cri des hommes flam- 240 bés avec sa maison. Elle n'oublia pas un détail de ce qu'elle avait ressenti ni de ce qu'elle avait fait.

Quand elle eut fini, elle tira de sa poche deux papiers, et, pour les distinguer aux dernières lueurs du feu, elle ajusta encore ses lunettes, puis elle prononça, montrant l'un : « Ça, 245 c'est la mort de Victor. » Montrant l'autre, elle ajouta, en désignant les ruines rouges d'un coup de tête : « Ça, c'est leurs noms pour qu'on écrive chez eux. » Elle tendit tranquillement la feuille blanche à l'officier, qui la tenait par les épaules, et elle reprit :

250 — Vous écrirez comment c'est arrivé, et vous direz à leurs parents que c'est moi qui a fait ça, Victoire Simon, la Sauvage ! N'oubliez pas.

L'officier criait des ordres en allemand. On la saisit, on la jeta contre les murs encore chauds de son logis. Puis douze

255 hommes se rangèrent vivement en face d'elle, à vingt mètres. Elle ne bougea point. Elle avait compris ; elle attendait.

Un ordre retentit, qu'une longue détonation suivit aussitôt. Un coup attardé partit tout seul, après les autres.

La vieille ne tomba point. Elle s'affaissa comme si on lui

260 eût fauché les jambes.

L'officier prussien s'approcha. Elle était presque coupée en deux, et dans sa main crispée elle tenait sa lettre baignée de sang.

Mon ami Serval ajouta :

265 — C'est par représailles[1] que les Allemands ont détruit le château du pays, qui m'appartenait.

Moi, je pensais aux

270 mères des quatre doux garçons brûlés là-dedans ; et à l'héroïsme atroce de cette autre mère, fusillée contre ce mur.

275 Et je ramassai une petite pierre, encore noircie par le feu.

« *Une rude vieille* [...] *qui ne riait pas souvent.* » **(page 36).**

43

Au fil du texte

AVEZ-VOUS BIEN LU ?

1. Combien de temps sépare le premier récit des événements racontés dans le second ?

2. Comment les quatre Prussiens se comportent-ils avec l'héroïne ?

3. Quels sont, au début, les sentiments de la mère Sauvage pour ses hôtes ?

4. Quel est l'élément perturbateur qui vient modifier la situation initiale★ ?

5. Quel est le vrai nom de l'héroïne ? Maintenant que vous avez lu son histoire, pouvez-vous justifier son sobriquet★ ?

6. Par quel détail la mort de la mère Sauvage rappelle-t-elle la mort de son fils ?

situation initiale : la situation du début.

sobriquet : surnom.

narrateur : celui qui raconte.

ÉTUDIER LA GRAMMAIRE

7. Quelles sont les valeurs de l'imparfait et du passé simple dans les lignes 62 à 94 ?

8. Quelle est la valeur du présent de l'indicatif dans les lignes 102 à 110 ?

ÉTUDIER L'ÉCRITURE

9. L'histoire de la mère Sauvage, racontée à la 3e personne, est insérée dans un autre récit, écrit à la 1re personne. Qui sont les narrateurs★ ?

10. Le portrait des quatre Prussiens (lignes 76 à 86) et celui du fils (lignes 90 à 92) sont antithétiques* : relevez les oppositions des termes.

11. Relevez tous les termes qui entrent dans le champ lexical* du feu (lignes 197 à 216).

ÉTUDIER UN THÈME : LA LETTRE

12. Le thème de la lettre apparaît à plusieurs reprises dans le récit. Pourquoi, selon vous, la mère Sauvage tient-elle tant à ce que les mères des jeunes Prussiens reçoivent une lettre ?

antithétiques :
opposés.

champ lexical :
**ensemble
de mots se
rapportant
à une même
idée.**

À VOS PLUMES !

13. Imaginez la lettre que l'officier prussien rédige pour les mères des quatre soldats.

14. Comparez le père Milon et la mère Sauvage.

LIRE L'IMAGE

15. Décrivez l'attitude et l'occupation de la femme représentée page 43. Quelles qualités lui attribuez-vous ? Vous représentez-vous ainsi la mère Sauvage ?

Le Gueux[1]

Il avait connu des jours meilleurs, malgré sa misère et son infirmité.

À l'âge de quinze ans, il avait eu les deux jambes écrasées par une voiture sur la grand-route de Varville.
5 Depuis ce temps-là, il mendiait en se traînant le long des chemins, à travers les cours des fermes, balancé sur ses béquilles qui lui avaient fait remonter les épaules à la hauteur des oreilles. Sa tête semblait enfoncée entre deux montagnes.

10 Enfant trouvé dans un fossé par le curé des Billettes, la veille du jour des morts, et baptisé pour cette raison Nicolas Toussaint, élevé par charité, demeuré étranger à toute instruction, estropié après avoir bu quelques verres d'eau-de-vie offerts par le boulanger du village, histoire
15 de rire, et, depuis lors vagabond, il ne savait rien faire autre chose que tendre la main.

notes
1. gueux : mendiant.

Autrefois la baronne d'Avary lui abandonnait, pour dormir, une espèce de niche pleine de paille, à côté du poulailler, dans la ferme attenante au château ; et il était sûr, aux
20 jours de grande famine, de trouver toujours un morceau de pain et un verre de cidre à la cuisine. Souvent il recevait encore là quelques sols[1] jetés par la vieille dame du haut de son perron ou des fenêtres de sa chambre. Maintenant elle était morte.

25 Dans les villages, on ne lui donnait guère : on le connaissait trop ; on était fatigué de lui depuis quarante ans qu'on le voyait promener de masure[2] en masure son corps loqueteux[3] et difforme sur ses deux pattes de bois. Il ne voulait point s'en aller cependant, parce qu'il ne connaissait pas
30 autre chose sur la terre que ce coin de pays, ces trois ou quatre hameaux où il avait traîné sa vie misérable. Il avait mis des frontières à sa mendicité et il n'aurait jamais passé les limites qu'il était accoutumé de ne point franchir.

Il ignorait si le monde s'étendait encore loin derrière les
35 arbres qui avaient toujours borné sa vue. Il ne se le demandait pas. Et quand les paysans, las de le rencontrer toujours au bord de leurs champs ou le long de leurs fossés, lui criaient :

« Pourquoi qu' tu n' vas point dans l's aut'es villages, au
40 lieu d' béquiller toujours par ci ? », il ne répondait pas et s'éloignait, saisi d'une peur vague de l'inconnu, d'une peur de pauvre qui redoute confusément mille choses, les visages nouveaux, les injures, les regards soupçonneux des gens qui ne le connaissaient pas, et les gendarmes qui vont deux par

notes

1. sols : sous.
2. masure : maison misérable.
3. loqueteux : en loques, en haillons.

45 deux sur les routes et qui le faisaient plonger, par instinct, dans les buissons ou derrière les tas de cailloux.

Quand il les apercevait au loin, reluisants sous le soleil, il trouvait soudain une agilité singulière, une agilité de monstre pour gagner quelque cachette. Il dégringolait de ses
50 béquilles, se laissait tomber à la façon d'une loque, et il se roulait en boule, devenait tout petit, invisible, rasé[1] comme un lièvre au gîte, confondant ses haillons bruns avec la terre.

Il n'avait pourtant jamais eu d'affaires avec eux. Mais il portait cela dans le sang, comme s'il eût reçu cette crainte et
55 cette ruse de ses parents, qu'il n'avait point connus.

Il n'avait pas de refuge, pas de toit, pas de hutte, pas d'abri. Il dormait partout, en été, et l'hiver il se glissait sous les granges ou dans les étables avec une adresse remarquable. Il déguerpissait toujours avant qu'on se fût aperçu de sa
60 présence. Il connaissait les trous pour pénétrer dans les bâtiments ; et le maniement des béquilles ayant rendu ses bras d'une vigueur surprenante, il grimpait à la seule force des poignets jusque dans les greniers à fourrages où il demeurait parfois quatre ou cinq jours sans bouger, quand il
65 avait recueilli dans sa tournée des provisions suffisantes.

Il vivait comme les bêtes des bois, au milieu des hommes, sans connaître personne, sans aimer personne, n'excitant chez les paysans qu'une sorte de mépris indifférent et d'hostilité résignée. On l'avait surnommé « Cloche », parce
70 qu'il se balançait, entre ses deux piquets de bois ainsi qu'une cloche entre ses portants.

notes
_____

1. rasé : terme de chasse ; qui s'étend à ras terre pour n'être pas vu (Littré).

Depuis deux jours, il n'avait point mangé. Personne ne lui donnait plus rien. On ne voulait plus de lui à la fin. Les paysannes, sur leurs portes, lui criaient de loin en le voyant venir :

75 « Veux-tu bien t'en aller, manant[1] ! V'là pas trois jours que j't'ai donné un morciau d'pain ! »

Et il pivotait sur ses tuteurs[2] et s'en allait à la maison voisine, où on le recevait de la même façon.

Les femmes déclaraient, d'une porte à l'autre :

80 « On n'peut pourtant pas nourrir ce fainéant toute l'année. »

Cependant le fainéant avait besoin de manger tous les jours.

Il avait parcouru Saint-Hilaire, Varville et les Billettes, sans
85 récolter un centime ou une vieille croûte. Il ne lui restait d'espoir qu'à Tournolles ; mais il lui fallait faire deux lieues[3] sur la grand-route, et il se sentait las à ne plus se traîner, ayant le ventre aussi vide que sa poche.

Il se mit en marche pourtant.

90 C'était en décembre, un vent froid courait sur les champs, sifflait dans les branches nues ; et les nuages galopaient à travers le ciel bas et sombre, se hâtant on ne sait où. L'estropié allait lentement, déplaçant ses supports l'un après l'autre d'un effort pénible, en se calant sur la jambe tordue qui lui
95 restait, terminée par un pied bot et chaussé d'une loque.

De temps en temps, il s'asseyait sur le fossé et se reposait quelques minutes. La faim jetait une détresse dans son âme confuse et lourde. Il n'avait qu'une idée : « manger », mais il ne savait par quel moyen.

notes

1. manant : paysan, rustre.

2. tuteurs : piquets qui soutiennent ou redressent des plantes. Ici : béquilles.

3. lieue : mesure de distance qui valait environ 4 km.

100   Pendant trois heures, il peina sur le long chemin ; puis quand il aperçut les arbres du village, il hâta ses mouvements.

    Le premier paysan qu'il rencontra, et auquel il demanda l'aumône, lui répondit :

    « Te r'voilà encore, vieille pratique[1] ! Je s'rons donc jamais
105 débarrassés de té ? »

    Et Cloche s'éloigna. De porte en porte on le rudoya, on le renvoya sans lui rien donner. Il continuait cependant sa tournée, patient et obstiné. Il ne recueillit pas un sou.

    Alors il visita les fermes, déambulant à travers les terres
110 molles de pluie, tellement exténué qu'il ne pouvait plus lever ses bâtons. On le chassa de partout. C'était un de ces jours froids et tristes où les cœurs se serrent, où les esprits s'irritent, où l'âme est sombre, où la main ne s'ouvre ni pour donner ni pour secourir.

115   Quand il eut fini la visite de toutes les maisons qu'il connaissait, il alla s'abattre au coin d'un fossé, le long de la cour de maître Chiquet. Il se décrocha, comme on disait pour exprimer comment il se laissait tomber entre ses hautes béquilles en les faisant glisser sous ses bras. Et il resta long-
120 temps immobile, torturé par la faim, mais trop brute pour bien pénétrer son insondable misère.

    Il attendait on ne sait quoi, de cette vague attente qui demeure constamment en nous. Il attendait au coin de cette cour, sous le vent glacé, l'aide mystérieuse qu'on espère tou-
125 jours du ciel ou des hommes, sans se demander comment, ni pourquoi, ni par qui elle lui pourrait arriver. Une bande

---

notes

1. pratique : mauvais sujet
(par ellipse d'une pratique
de cabaret, de mauvais lieux,
selon Littré).

de poules noires passait, cherchant sa vie dans la terre qui nourrit tous les êtres. À tout instant, elles piquaient d'un coup de bec un grain ou un insecte invisible, puis conti-

130 nuaient leur recherche lente et sûre.

Cloche les regardait sans penser à rien ; puis il lui vint, plutôt au ventre que dans la tête, la sensation plutôt que l'idée qu'une de ces bêtes-là serait bonne à manger grillée sur un feu de bois mort.

135 Le soupçon qu'il allait commettre un vol ne l'effleura pas. Il prit une pierre à portée de sa main, et, comme il était adroit, il tua net, en la lançant, la volaille la plus proche de lui. L'animal tomba sur le côté en remuant les ailes. Les autres s'enfuirent, balancés sur leurs pattes minces, et Cloche,

140 escaladant de nouveau ses béquilles, se mit en marche pour aller ramasser sa chasse, avec des mouvements pareils à ceux des poules.

Comme il arrivait auprès du petit corps noir taché de rouge à la tête, il reçut une poussée terrible dans le dos qui

145 lui fit lâcher ses bâtons et l'envoya rouler à dix pas devant lui. Et maître Chiquet, exaspéré, se précipitant sur le marau-deur[1], le roua de coups, tapant comme un forcené[2], comme tape un paysan volé, avec le poing et avec le genou par tout le corps de l'infirme, qui ne pouvait se défendre.

150 Les gens de la ferme arrivaient à leur tour qui se mirent avec le patron à assommer le mendiant. Puis, quand ils furent las de le battre, ils le ramassèrent et l'emportèrent, et l'enfermèrent dans le bûcher[3] pendant qu'on allait chercher les gendarmes.

155   Cloche, à moitié mort, saignant et crevant de faim, demeura couché sur le sol. Le soir vint, puis la nuit, puis l'aurore. Il n'avait toujours pas mangé.

    Vers midi, les gendarmes parurent et ouvrirent la porte avec précaution, s'attendant à une résistance, car maître
160 Chiquet prétendait avoir été attaqué par le gueux et ne s'être défendu qu'à grand-peine.

    Le brigadier cria :

    « Allons, debout ! »

    Mais Cloche ne pouvait plus remuer, il essaya bien de se
165 hisser sur ses pieux, il n'y parvint point. On crut à une feinte, à une ruse, à un mauvais vouloir de malfaiteur, et les deux hommes armés, le rudoyant, l'empoignèrent et le plantèrent de force sur ses béquilles.

    La peur l'avait saisi, cette peur native des baudriers[1]
170 jaunes, cette peur du gibier devant le chasseur, de la souris devant le chat. Et, par des efforts surhumains, il réussit à rester debout.

    « En route ! » dit le brigadier. Il marcha. Tout le personnel de la ferme le regardait partir. Les femmes lui montraient
175 le poing ; les hommes ricanaient, l'injuriaient ; on l'avait pris enfin ! Bon débarras.

    Il s'éloigna entre ses deux gardiens. Il trouva l'énergie désespérée qu'il lui fallait pour se traîner encore jusqu'au soir, abruti, ne sachant seulement plus ce qui lui arrivait, trop
180 effaré[2] pour rien comprendre.

    Les gens qu'on rencontrait s'arrêtaient pour le voir passer, et les paysans murmuraient :

---

notes

1. baudriers : ceinturons des gendarmes.   **2. effaré :** effrayé.

« C'est quèque voleux ! »

On parvint, vers la nuit, au chef-lieu du canton. Il n'était
185 jamais venu jusque-là. Il ne se figurait pas vraiment ce qui se
passait, ni ce qui pouvait survenir. Toutes ces choses terribles,
imprévues, ces figures et ces maisons nouvelles le conster-
naient.

Il ne prononça pas un mot, n'ayant rien à dire, car il ne
190 comprenait plus rien. Depuis tant d'années d'ailleurs qu'il ne
parlait à personne, il avait à peu près perdu l'usage de sa
langue ; et sa pensée aussi était trop confuse pour se formuler
par des paroles.

On l'enferma dans la prison du bourg. Les gendarmes ne
195 pensèrent pas qu'il pouvait avoir besoin de manger, et on le
laissa jusqu'au lendemain.

Mais, quand on vint pour l'interroger, au petit matin, on
le trouva mort, sur le sol. Quelle surprise !

**La distribution
de soupe,**
gravure, 1660.

AVEZ-VOUS BIEN LU ?

1. Quel est l'âge du gueux ? Et pourquoi est-il surnommé « *Cloche* » ?

2. Énumérez les personnes (et les villages) qui le repoussent successivement.

3. Une baronne se montrait autrefois charitable envers lui. Mais que pensez-vous de sa charité ?

4. À quel moment de l'année l'action se déroule-t-elle ? Pourquoi ?

5. La légitime défense invoquée par maître Chiquet est-elle crédible ?

6. Qui s'écrie « *Quelle surprise !* » à la fin du conte ? Le lecteur, lui, est-il surpris ? Pourquoi ?

protagoniste : personnage principal.

ÉTUDIER LA GRAMMAIRE

7. Dans la partie descriptive (lignes 56 à 71), quel est le temps le plus utilisé ? Pourquoi ?

8. Justifiez le temps et le mode du verbe « *se fût aperçu* » (ligne 59).

9. Quelle est la valeur des présents de l'indicatif « *demeure* » (ligne 123) et « *espère* » (ligne 124) ?

ÉTUDIER L'ÉCRITURE

10. Quels sont le prénom, le nom et le surnom du protagoniste★ ? Pourquoi est-il surtout désigné par le pronom « *il* » ?

11. Que désigne le « *petit corps noir taché de rouge* » (ligne 143) ? Comment appelle-t-on cette figure de style★ ?

12. Pourquoi peut-on dire que l'exclamation finale est ironique★ ?

13. N'y a-t-il pas aussi une intention ironique dans l'expression « *la terre qui nourrit tous les êtres* » (lignes 127-128) ?

14. Établissez le champ lexical★ de la violence (lignes 143 à 154).

À VOS PLUMES !

15. Rédigez, du point de vue des gendarmes, le rapport sur l'arrestation et la mort du gueux.

LIRE L'IMAGE

16. En quoi le dessin de la page 53 peut-il évoquer Cloche ? En quoi n'illustre-t-il pas la nouvelle de Maupassant ?

17. Cette même gravure s'accompagne du commentaire suivant : « *Les rentes des gueux sont assignées sur la marmite des riches.* » Comment comprenez-vous cette phrase ?

figure de style : forme d'expression particulière (la métaphore, l'allégorie, la périphrase... sont des figures de style).

ironique : l'ironie consiste à dire le contraire de ce que l'on pense ou de ce que l'on veut faire entendre.

champ lexical : ensemble de mots se rapportant à une même idée.

Boitelle

À Robert Pinchon[1].

Le père Boitelle (Antoine) avait dans tout le pays la spécialité des besognes malpropres. Toutes les fois qu'on avait à faire nettoyer une fosse, un fumier, un puisard[2], à curer un égout, un trou de fange[3] quelconque, c'était lui

5 qu'on allait chercher.

Il s'en venait avec ses instruments de vidangeur et ses sabots enduits de crasse, et se mettait à sa besogne en geignant sans cesse sur son métier. Quand on lui demandait alors pourquoi il faisait cet ouvrage répugnant, il

10 répondait avec résignation :

« Pardi, c'est pour mes éfants[4] qu'il faut nourrir. Ça rapporte plus qu'autre chose. »

notes

1. Robert Pinchon (1846-1925) : condisciple de Maupassant au lycée, il devint en 1889 bibliothécaire-adjoint de la ville de Rouen.

2. puisard : fosse dans laquelle s'écoulent les eaux usées.

3. fange : boue liquide et sale.

4. éfants : enfants.

Il avait, en effet, quatorze enfants. Si on s'informait de ce qu'ils étaient devenus, il disait avec un air d'indifférence :

15 « N'en reste huit à la maison. Y en a un au service et cinq mariés. »

Quand on voulait savoir s'ils étaient bien mariés, il reprenait avec vivacité :

« Je les ai pas opposés[1]. Je les ai opposés en rien. Ils ont
20 marié comme ils ont voulu. Faut pas opposer les goûts, ça tourne mal. Si je suis ordureux[2], mé, c'est que mes parents m'ont opposé dans mes goûts. Sans ça, j'aurais devenu un ouvrier comme les autres. »

Voici en quoi ses parents l'avaient contrarié dans ses goûts.

25 Il était alors soldat, faisant son temps au Havre, pas plus bête qu'un autre, pas plus dégourdi non plus, un peu simple pourtant. Pendant les heures de liberté, son plus grand plaisir était de se promener sur le quai, où sont réunis les marchands d'oiseaux. Tantôt seul, tantôt avec un pays[3], il s'en
30 allait lentement le long des cages où les perroquets à dos vert et à tête jaune des Amazones, les perroquets à dos gris et à tête rouge du Sénégal, les aras énormes qui ont l'air d'oiseaux cultivés en serre, avec leurs plumes fleuries, leurs panaches et leurs aigrettes[4], les perruches de toute taille, qui
35 semblent coloriées avec un soin minutieux par un bon Dieu miniaturiste[5], et les petits, tout petits oisillons sautillants, rouges, jaunes, bleus et bariolés[6], mêlant leurs cris au bruit

notes

1. opposés : contrariés.
2. ordureux : quelqu'un qui travaille dans l'ordure, qui exécute des besognes salissantes.

3. un pays : un homme de son village, de sa région.
4. aigrettes : faisceaux de plumes qui ornent la tête de certains oiseaux.

5. miniaturiste : peintre de miniatures, petites peintures délicates et minutieuses.
6. bariolés : aux couleurs vives et variées.

du quai, apportent dans le fracas des navires déchargés, des passants et des voitures, une rumeur violente, aiguë,
40 piaillarde, assourdissante, de forêt lointaine et surnaturelle.

Boitelle s'arrêtait les yeux ouverts ; la bouche ouverte, riant et ravi, montrant ses dents aux kakatoès prisonniers qui saluaient de leur huppe blanche ou jaune le rouge éclatant de sa culotte et le cuivre de son ceinturon. Quand il ren-
45 contrait un oiseau parleur, il lui posait des questions et si la bête se trouvait ce jour-là disposée à répondre et dialoguait avec lui, il emportait pour jusqu'au soir de la gaieté et du contentement. À regarder les singes aussi il se faisait des bosses de plaisir[1], et il n'imaginait point de plus grand luxe
50 pour un homme riche que de posséder ces animaux ainsi qu'on a des chats et des chiens. Ce goût-là, ce goût de l'exotique, il l'avait dans le sang comme on a celui de la chasse, de la médecine ou de la prêtrise. Il ne pouvait s'empêcher, chaque fois que s'ouvraient les portes de la caserne, de s'en
55 revenir au quai comme s'il s'était senti tiré par une envie.

Or une fois, s'étant arrêté presque en extase devant un araraca[2] monstrueux qui gonflait ses plumes, s'inclinait, se redressait, semblait faire les révérences de cour du pays des perroquets, il vit s'ouvrir la porte d'un petit café attenant à
60 la boutique du marchand d'oiseaux, et une jeune négresse[3], coiffée d'un foulard rouge, apparut, qui balayait vers la rue les bouchons et le sable de l'établissement.

---

notes

1. bosses de plaisir : allusion à la phrénologie de Gall (1758-1828) qui prétendait déduire les facultés et le caractère d'un homme des bosses de son crâne.

2. araraca : oiseau grimpeur, voisin des toucans.

3. négresse : mot vieilli et souvent employé dans un sens péjoratif pour désigner une femme de race noire.

L'attention de Boitelle fut aussitôt partagée entre l'animal et la femme, et il n'aurait su dire vraiment lequel de ces deux êtres il contemplait avec le plus d'étonnement et de plaisir.

La négresse, ayant poussé dehors les ordures du cabaret, leva les yeux, et demeura à son tour toute éblouie devant l'uniforme du soldat. Elle restait debout, en face de lui, son balai dans les mains comme si elle lui eût porté les armes, tandis que l'araraca continuait à s'incliner. Or le troupier[1] au bout de quelques instants fut gêné par cette attention, et il s'en alla à petits pas, pour n'avoir point l'air de battre en retraite.

Mais il revint. Presque chaque jour il passa devant le café des Colonies, et souvent il aperçut à travers les vitres la petite bonne à peau noire qui servait des bocks[2] ou de l'eau-de-vie aux matelots du port. Souvent aussi elle sortait en l'apercevant ; bientôt, même, sans s'être jamais parlé, ils se sourirent comme des connaissances ; et Boitelle se sentait le cœur remué, en voyant luire tout à coup, entre les lèvres sombres de la fille, la ligne éclatante de ses dents. Un jour enfin il entra, et fut tout surpris en constatant qu'elle parlait français comme tout le monde. La bouteille de limonade, dont elle accepta de boire un verre, demeura, dans le souvenir du troupier, mémorablement délicieuse ; il prit l'habitude de venir absorber, en ce petit cabaret du port, toutes les douceurs liquides que lui permettait sa bourse.

C'était pour lui une fête, un bonheur auquel il pensait sans cesse, de regarder la main noire de la petite bonne verser quelque chose dans son verre, tandis que les dents

---

notes

1. troupier : homme de troupe, soldat.

2. bocks : verres de bière.

riaient, plus claires que les yeux... Au bout de deux mois de fréquentation, ils devinrent tout à fait bons amis, et Boitelle, après le premier étonnement de voir que les idées de cette négresse étaient pareilles aux bonnes idées des filles du pays,

95 qu'elle respectait l'économie, le travail, la religion et la conduite, l'en aima davantage, s'éprit d'elle au point de vouloir l'épouser.

Il lui dit ce projet qui la fit danser de joie. Elle avait d'ailleurs quelque argent, laissé par une marchande d'huîtres,

100 qui l'avait recueillie quand elle fut déposée sur le quai du Havre par un capitaine américain. Ce capitaine l'avait trouvée âgée d'environ six ans, blottie sur des balles de coton dans la cale de son navire, quelques heures après son départ de New York. Venant au Havre, il y abandonna aux soins de

105 cette écaillère[1] apitoyée ce petit animal noir caché à son bord, il ne savait par qui ni comment. La vendeuse d'huîtres étant morte, la jeune négresse devint bonne au café des Colonies.

Antoine Boitelle ajouta :

110 « Ça se fera si les parents n'y opposent point. J'irai jamais contre eux, t'entends ben, jamais ! Je vas leur en toucher deux mots à la première fois que je retourne au pays. »

La semaine suivante en effet, ayant obtenu vingt-quatre heures de permission, il se rendit dans sa famille qui cultivait

115 une petite ferme à Tourteville, près d'Yvetot.

Il attendit la fin du repas, l'heure où le café baptisé d'eau-de-vie rendait les cœurs plus ouverts, pour informer ses ascendants qu'il avait trouvé une fille répondant si bien à ses

---

notes

1. *écaillère :* vendeuse de coquillages.

goûts, à tous ses goûts, qu'il ne devait pas en exister une autre sur la terre pour lui convenir aussi parfaitement.

Les vieux, à ce propos, devinrent aussitôt circonspects[1] et demandèrent des explications. Il ne cacha rien d'ailleurs que la couleur de son teint.

C'était une bonne, sans grand avoir, mais vaillante, économe, propre, de conduite et de bon conseil. Toutes ces choses-là valaient mieux que de l'argent aux mains d'une mauvaise ménagère. Elle avait quelques sous d'ailleurs, laissés par une femme qui l'avait élevée, quelques gros sous, presque une petite dot, quinze cents francs à la caisse d'épargne. Les vieux, conquis par ses discours, confiants d'ailleurs dans son jugement, cédaient peu à peu, quand il arriva au point délicat. Riant d'un rire un peu contraint :

« Il n'y a qu'une chose, dit-il, qui pourra vous contrarier. Elle n'est brin blanche[2]. »

Ils ne comprenaient pas et il dut expliquer longuement avec beaucoup de précautions, pour ne point les rebuter[3], qu'elle appartenait à la race sombre dont ils n'avaient vu d'échantillons que sur les images d'Épinal.

Alors ils furent inquiets, perplexes[4], craintifs, comme s'il leur avait proposé une union avec le Diable.

La mère disait : « Noire ? Combien qu'elle l'est ? C'est-il partout ? »

Il répondait : « Pour sûr ! Partout, comme t'es blanche partout, té ! »

Le père reprenait : « Noire ? C'est-il noir autant que le chaudron ? »

---

notes

1. **circonspects :** prudents, réservés.

2. **Elle n'est brin blanche :** elle n'est pas blanche.

3. **rebuter :** décourager.

4. **perplexes :** embarrassés, indécis.

Le fils répondait : « P't'être ben un p'tieu moins ! C'est noire, mais point noire à dégoûter. La robe à m'sieur l'curé est ben noire, et alle n'est pas pu laide qu'un surplis[1] qu'est
150 blanc. »

Le père disait : « Y en a-t-il de pu noires qu'elle dans son pays ? »

Et le fils, convaincu, s'écriait :

« Pour sûr ! »

155 Mais le bonhomme remuait la tête.

« Ça doit être déplaisant. »

Et le fils :

« C'est point pu déplaisant qu'aut'chose, vu qu'on s'y fait en rin de temps. »

160 La mère demandait :

« Ça ne salit point le linge plus que d'autres, ces piaux-là ?

– Pas plus que la tienne, vu que c'est sa couleur. »

Donc, après beaucoup de questions encore, il fut convenu que les parents verraient cette fille avant de rien décider et
165 que le garçon, dont le service allait finir l'autre mois, l'amènerait à la maison afin qu'on pût l'examiner et décider en causant si elle n'était pas trop foncée pour entrer dans la famille Boitelle.

Antoine alors annonça que le dimanche 22 mai, jour de
170 sa libération, il partirait pour Tourteville avec sa bonne amie.

Elle avait mis pour ce voyage chez les parents de son amoureux ses vêtements les plus beaux et les plus voyants, où dominaient le jaune, le rouge et le bleu, de sorte qu'elle avait l'air pavoisée[2] pour une fête nationale.

notes

1. surplis : vêtement de toile blanche porté par les prêtres dans certaines cérémonies.

2. pavoisée : ornée de drapeaux.

175 Dans la gare, au départ du Havre, on la regarda beaucoup, et Boitelle était fier de donner le bras à une personne qui commandait ainsi l'attention. Puis, dans le wagon de troisième classe où elle prit place à côté de lui, elle imposa une telle surprise aux paysans que ceux des compartiments

180 voisins montèrent sur leurs banquettes pour l'examiner par-dessus la cloison de bois qui divisait la caisse roulante. Un enfant, à son aspect, se mit à crier de peur, un autre cacha sa figure dans le tablier de sa mère.

Tout alla bien cependant jusqu'à la gare d'arrivée. Mais

185 lorsque le train ralentit sa marche en approchant d'Yvetot, Antoine se sentit mal à l'aise, comme au moment d'une inspection quand il ne savait pas sa théorie. Puis, s'étant penché à la portière, il reconnut de loin son père qui tenait la bride du cheval attelé à la carriole, et sa mère venue

190 jusqu'au treillage qui maintenait les curieux.

Il descendit le premier, tendit la main à sa bonne amie et droit, comme s'il escortait un général, il se dirigea vers sa famille.

La mère, en voyant venir cette dame noire et bariolée en

195 compagnie de son garçon, demeurait tellement stupéfaite qu'elle n'en pouvait ouvrir la bouche, et le père avait peine à maintenir le cheval que faisait cabrer coup sur coup la locomotive ou la négresse. Mais Antoine, saisi soudain par la joie sans mélange de revoir ses vieux, se précipita, les bras

200 ouverts, bécota la mère, bécota le père malgré l'effroi du bidet[1], puis se tournant vers sa compagne que les passants ébaubis[2] considéraient en s'arrêtant, il s'expliqua :

« La v'là ! J'vous avais ben dit qu'à première vue alle est

notes

1. bidet : cheval.   **2. ébaubis :** ébahis, stupéfaits.

205 un brin détournante[1], mais sitôt qu'on la connaît, vrai de
vrai, y a rien de plus plaisant sur la terre. Dites-y bonjour
qu'a ne s'émeuve point. »

Alors la mère Boitelle, intimidée elle-même à perdre la
raison, fit une espèce de révérence, tandis que le père ôtait sa
210 casquette en murmurant : « J'vous la souhaite à vot' désir. »
Puis sans s'attarder on grimpa dans la carriole, les deux
femmes au fond sur des chaises qui les faisaient sauter en l'air
à chaque cahot de la route, et les deux hommes par-devant,
sur la banquette.

215 Personne ne parlait. Antoine inquiet sifflotait un air de
caserne, le père fouettait le bidet, et la mère regardait de
coin, en glissant des coups d'œil de fouine, la négresse dont
le front et les pommettes reluisaient sous le soleil comme des
chaussures bien cirées.

220 Voulant rompre la glace, Antoine se retourna.

« Eh bien, dit-il, on ne cause pas ?

– Faut le temps », répondit la vieille.

Il reprit :

« Allons, raconte à la p'tite l'histoire des huit œufs de ta
225 poule. »

C'était une farce célèbre dans la famille. Mais comme sa
mère se taisait toujours, paralysée par l'émotion, il prit lui-
même la parole et narra, en riant beaucoup, cette mémorable
aventure. Le père, qui la savait par cœur, se dérida aux pre-
230 miers mots ; sa femme bientôt suivit l'exemple, et la négresse
elle-même, au passage le plus drôle, partit tout à coup d'un
tel rire, d'un rire si bruyant, roulant, torrentiel, que le cheval
excité fit un petit temps de galop.

notes

1. un brin détournante :
un peu surprenante.

La connaissance était faite. On causa.

À peine arrivés, quand tout le monde fut descendu, après
qu'il eut conduit sa bonne amie dans la chambre pour ôter
sa robe qu'elle aurait pu tacher en faisant un bon plat de sa
façon destiné à prendre les vieux par le ventre[1], il attira ses
parents devant la porte, et demanda, le cœur battant :

« Eh ben, quéque vous dites ? »

Le père se tut. La mère plus hardie déclara :

« Alle est trop noire ! Non, vrai, c'est trop. J'en ai eu les
sangs tournés.

– Vous vous y ferez, dit Antoine.

– Possible, mais pas pour le moment. »

Ils entrèrent et la bonne femme fut émue en voyant la
négresse cuisiner. Alors elle l'aida, la jupe retroussée, active
malgré son âge.

Le repas fut bon, fut long, fut gai. Quand on fit un tour
ensuite, Antoine prit son père à part :

« Eh ben, pé[2], quéque t'en dis ? »

Le paysan ne se compromettait jamais.

« J'ai point d'avis. D'mande à ta mé[3]. »

Alors Antoine rejoignit sa mère et la retenant en arrière :

« Eh ben, ma mé, quéque t'en dis ?

– Mon pauv'e gars, vrai, alle est trop noire. Seulement un
p'tieu moins je ne m'opposerais pas mais c'est trop. On dirait
Satan ! »

Il n'insista point, sachant que la vieille s'obstinait toujours, mais il sentait en son cœur entrer un orage de cha-

**1. prendre les vieux par
le ventre :** les séduire par
ses talents de cuisinière.

2. pé : père.

3. mé : mère.

260 grin. Il cherchait ce qu'il fallait faire, ce qu'il pourrait inven-
ter, surpris d'ailleurs qu'elle ne les eût pas conquis déjà
comme elle l'avait séduit lui-même. Et ils s'en allaient tous
les quatre à pas lents à travers les blés, redevenus peu à peu
silencieux. Quand on longeait une clôture, les fermiers
265 apparaissaient à la barrière, les gamins grimpaient sur les
talus, tout le monde se précipitait au chemin pour voir passer la « noire » que le fils Boitelle avait ramenée. On apercevait au loin des gens qui couraient à travers les champs
comme on accourt quand bat le tambour des annonces de
270 phénomènes vivants. Le père et la mère Boitelle, effarés de
cette curiosité semée par la campagne à leur approche,
hâtaient   le   pas,   côte   à   côte,
précédant de loin leur fils à qui sa compagne demandait ce
que les parents pensaient d'elle.

275   Il répondit en hésitant qu'ils n'étaient pas encore décidés.
    Mais sur la place du village ce fut une sortie en masse de
toutes les maisons en émoi, et devant l'attroupement gros-
sissant, les vieux Boitelle prirent la fuite et regagnèrent leur
logis, tandis qu'Antoine soulevé de colère, sa bonne amie au
280 bras, s'avançait avec majesté sous les yeux élargis par l'éba-
hissement.

    Il comprenait que c'était fini, qu'il n'y avait plus d'espoir,
qu'il n'épouserait pas sa négresse ; elle aussi le comprenait ;
et ils se mirent à pleurer tous les deux en approchant de la
285 ferme. Dès qu'ils furent revenus, elle ôta de nouveau sa robe
pour aider la mère à faire sa besogne ; elle la suivit partout,
à la laiterie, à l'étable, au poulailler, prenant la plus grosse
part, répétant sans cesse : « Laissez-moi faire, madame
Boitelle », si bien que le soir venu, la vieille, touchée et

notes

1. *inexorable :* insensible
aux supplications.

290   inexorable[1], dit à son fils :

« C'est une brave fille tout de même. C'est dommage qu'elle soit si noire, mais vrai, alle l'est trop. J'pourrais pas m'y faire, faut qu'alle r'tourne[1], alle est trop noire. »

Et le fils Boitelle dit à sa bonne amie :

295   « Alle n'veut point, alle te trouve trop noire. Faut r'tourner. Je t'aconduirai jusqu'au chemin de fer. N'importe, t'éluge point[2]. J'vas leur y parler quand tu seras partie. »

Il la conduisit donc à la gare en lui donnant encore bon espoir, et après l'avoir embrassée, la fit monter dans le convoi
300   qu'il regarda s'éloigner avec des yeux bouffis par des pleurs.

Il eut beau implorer les vieux, ils ne consentirent jamais.

Et quand il avait conté cette histoire que tout le pays connaissait, Antoine Boitelle ajoutait toujours :

« À partir de ça, j'ai eu de cœur à rien, à rien. Aucun
305   métier ne m'allait pu, et j'sieus[3] devenu ce que j'sieus, un ordureux[4]. »

On lui disait :

«Vous vous êtes marié pourtant.

– Oui, et j'peux pas dire que ma femme m'a déplu pisque
310   j'y ai fait quatorze enfants, mais c'n'est point l'autre, oh non, pour sûr, oh non ! L'autre, voyez-vous, ma négresse, elle n'avait qu'à me regarder, je me sentais comme transporté... »

---

notes

1. qu'alle r'tourne : qu'elle s'en retourne, qu'elle s'en aille.

2. t'éluge point : ne t'inquiète pas.

3. j'sieus : je suis.

4. ordureux : quelqu'un qui travaille dans l'ordure, qui exécute des besognes salissantes.

Au fil du texte

AVEZ-VOUS BIEN LU ?

1. Pourquoi Boitelle est-il devenu un « *ordureux* » ?

2. Pourquoi ne s'est-il pas opposé à la volonté de ses parents ?

3. En quoi la jeune Noire est-elle semblable aux jeunes Françaises ? Quelles sont ses qualités ?

4. Peut-on dire que les villageois ont pesé sur la décision des parents ?

style indirect :
à l'inverse du style direct, il ne rapporte pas telles quelles les paroles prononcées.

dénouement :
manière dont le récit s'achève.

ÉTUDIER LA GRAMMAIRE

5. Réécrivez la phrase : « *Il comprenait* [...] *qu'il n'épouserait pas sa négresse* » (lignes 281-282), en mettant le verbe principal au présent. Quelle était donc la valeur du conditionnel « *épouserait* » ?

6. « *Il eut beau implorer les vieux, ils ne consentirent jamais.* » : réécrivez cette phrase en exprimant différemment le rapport d'opposition.

7. La conversation entre Antoine et ses parents est rapportée au style direct, indirect* ou indirect libre : relevez un exemple de chaque formulation.

ÉTUDIER LE GENRE : LA NOUVELLE

8. La nouvelle se caractérise par une intrigue simple : formulez la question que se pose le lecteur, question à laquelle le dénouement* apporte la réponse.

9. La nouvelle se caractérise aussi par un nombre restreint de personnages : présentez-les brièvement. Peut-on pour autant négliger les « figurants », les habitants du village ?

ÉTUDIER L'ÉCRITURE

10. Établissez le champ lexical★ de la faune exotique (lignes 30 à 62).

11. Relevez toutes les notations de couleurs relatives aux oiseaux, à la jeune fille, à Boitelle.

12. Expliquez les métaphores★ : « *oiseaux cultivés en serre* » (ligne 33) et « *orage de chagrin* » (ligne 259).

13. Quels termes évoquent le « coup de foudre » entre les jeunes gens (lignes 63 à 68).

14. Dans les lignes 215 à 219, relevez une métaphore et une comparaison★.

ÉTUDIER UN THÈME : LA CURIOSITÉ

15. Quelles réactions la jeune fille suscite-t-elle à la gare, dans le train, au village ?

16. Les réactions des enfants et celle du cheval ne laissent-elles pas prévoir le dénouement ?

À VOS PLUMES !

17. Le fils Boitelle est passé outre la décision de ses parents. Imaginez la vie du couple deux ans plus tard.

champ lexical : ensemble de mots se rapportant à une même idée.

métaphore : rapprochement de termes exprimé sans mots outils, de façon implicite.

comparaison : rapprochement de termes exprimé à l'aide de mots outils (comme, ainsi que…).

La Chevelure

Les murs de la cellule étaient nus, peints à la chaux. Une fenêtre étroite et grillée, percée très haut de façon qu'on ne pût pas y atteindre, éclairait cette petite pièce claire et sinistre ; et le fou, assis sur une chaise de paille, nous regardait d'un œil fixe, vague et hanté[1]. Il était fort maigre, avec des joues creuses et des cheveux presque blancs qu'on devinait blanchis en quelques mois. Ses vêtements semblaient trop larges pour ses membres secs, pour sa poitrine rétrécie, pour son ventre creux. On sentait cet homme ravagé, rongé par sa pensée, par une Pensée, comme un fruit par un ver. Sa Folie, son Idée était là, dans cette tête, obstinée, harcelante[2], dévorante. Elle mangeait le corps peu à peu. Elle, l'Invisible, l'Impalpable, l'Insaisissable, l'Immatérielle Idée minait la chair, buvait le sang, éteignait la vie.

notes

1. hanté : préoccupé, obsédé.　**2. harcelante :** qui harcèle, qui tourmente.

Quel mystère que cet homme tué par un Songe ! Il faisait peine, peur et pitié, ce Possédé[1] ! Quel rêve étrange, épouvantable et mortel habitait dans ce front, qu'il plissait de rides profondes, sans cesse remuantes ?

20 Le médecin me dit : « Il a de terribles accès de fureur, c'est un des éléments les plus singuliers que j'aie vus. Il est atteint de folie érotique et macabre. C'est une sorte de nécrophile[2]. Il a d'ailleurs écrit son journal qui nous montre le plus clairement du monde la maladie de son esprit. Sa

25 folie y est pour ainsi dire palpable. Si cela vous intéresse vous pouvez parcourir ce document. » Je suivis le docteur dans son cabinet, et il me remit le journal de ce misérable homme. « Lisez, dit-il, et vous me direz votre avis. »

Voici ce que contenait ce cahier :

30 Jusqu'à l'âge de trente-deux ans, je vécus tranquille, sans amour. La vie m'apparaissait très simple, très bonne et très facile. J'étais riche. J'avais du goût pour tant de choses que je ne pouvais éprouver de passion pour rien. C'est bon de vivre ! Je me réveillais heureux, chaque jour, pour faire des choses

35 qui me plaisaient, et je me couchais satisfait, avec l'espérance paisible du lendemain et de l'avenir sans souci.

J'avais eu quelques maîtresses sans avoir jamais senti mon cœur affolé par le désir ou mon âme meurtrie d'amour après la possession. C'est bon de vivre ainsi. C'est meilleur d'ai-

40 mer, mais terrible. Encore, ceux qui aiment comme tout le monde doivent-ils éprouver un ardent bonheur, moindre

---

notes

1. Possédé : dominé par une puissance maléfique.

2. nécrophile : qui aime les morts.

que le mien peut-être, car l'amour est venu me trouver d'une incroyable manière.

Étant riche, je recherchais les meubles anciens et les vieux objets ; et souvent je pensais aux mains inconnues qui avaient palpé ces choses, aux yeux qui les avaient admirées, aux cœurs qui les avaient aimées, car on aime les choses ! Je restais souvent pendant des heures, des heures et des heures, à regarder une petite montre du siècle dernier. Elle était si mignonne, si jolie, avec son émail et son or ciselé. Et elle marchait encore comme au jour où une femme l'avait achetée dans le ravissement de posséder ce fin bijou. Elle n'avait point cessé de palpiter, de vivre sa vie de mécanique, et elle continuait toujours son tic-tac régulier, depuis un siècle passé. Qui donc l'avait portée la première sur son sein dans la tiédeur des étoffes, le cœur de la montre battant contre le cœur de la femme ? Quelle main l'avait tenue au bout de ses doigts un peu chauds, l'avait tournée, retournée, puis avait essuyé les bergers de porcelaine ternis une seconde par la moiteur de la peau ? Quels yeux avaient épié sur ce cadran fleuri l'heure attendue, l'heure chérie, l'heure divine ?

Comme j'aurais voulu la connaître, la voir, la femme qui avait choisi cet objet exquis et rare ! Elle est morte ! Je suis possédé par le désir des femmes d'autrefois ; j'aime, de loin, toutes celles qui ont aimé ! – L'histoire des tendresses passées m'emplit le cœur de regrets. Oh ! la beauté, les sourires, les caresses jeunes, les espérances ! Tout cela ne devrait-il pas être éternel ?

Comme j'ai pleuré, pendant des nuits entières, sur les pauvres femmes de jadis, si belles, si tendres, si douces, dont les bras se sont ouverts pour le baiser et qui sont mortes ! Le baiser est immortel, lui ! Il va de lèvre en lèvre, de siècle en siècle, d'âge en âge. – Les hommes le recueillent, le donnent et meurent.

75   Le passé m'attire, le présent m'effraie parce que l'avenir c'est la mort. Je regrette tout ce qui s'est fait, je pleure tous ceux qui ont vécu ; je voudrais arrêter le temps, arrêter l'heure. Mais elle va, elle va, elle passe, elle me prend de seconde en seconde un peu de moi pour le néant de 80 demain. Et je ne revivrai jamais.

    Adieu celles d'hier. Je vous aime.

    Mais je ne suis pas à plaindre. Je l'ai trouvée, moi, celle que j'attendais ; et j'ai goûté par elle d'incroyables plaisirs.

    Je rôdais dans Paris par un matin de soleil, l'âme en fête, 85 le pied joyeux, regardant les boutiques avec cet intérêt vague du flâneur. Tout à coup, j'aperçus chez un marchand d'antiquités un meuble italien du XVIIe siècle. Il était fort beau, fort rare. Je l'attribuai à un artiste vénitien du nom de Vitelli, qui fut célèbre à cette époque.

90   Puis je passai.

    Pourquoi le souvenir de ce meuble me poursuivit-il avec tant de force que je revins sur mes pas ? Je m'arrêtai de nouveau devant le magasin pour le revoir et je sentis qu'il me tentait.

95   Quelle singulière chose que la tentation ! On regarde un objet et, peu à peu, il vous séduit, vous trouble, vous envahit comme ferait un visage de femme. Son charme entre en vous, charme étrange qui vient de sa forme, de sa couleur, de sa physionomie de chose ; et on l'aime déjà, on le désire, 100 on le veut. Un besoin de possession vous gagne, besoin doux d'abord, comme timide, mais qui s'accroît, devient violent, irrésistible.

    Et les marchands semblent deviner à la flamme du regard l'envie secrète et grandissante.

105   J'achetai ce meuble et je le fis porter chez moi tout de suite. Je le plaçai dans ma chambre.

Oh ! je plains ceux qui ne connaissent pas cette lune de miel du collectionneur avec le bibelot[1] qu'il vient d'acheter. On le caresse de l'œil et de la main comme s'il était de chair,
110 on revient à tout moment près de lui, on y pense toujours, où qu'on aille, quoi qu'on fasse. Son souvenir aimé vous suit dans la rue, dans le monde, partout ; et quand on rentre chez soi, avant même d'avoir ôté ses gants et son chapeau, on va le contempler avec une tendresse d'amant.

115 Vraiment, pendant huit jours, j'adorai ce meuble. J'ouvrais à chaque instant ses portes, ses tiroirs ; je le maniais avec ravissement, goûtant toutes les joies intimes de la possession.

Or, un soir, je m'aperçus, en tâtant l'épaisseur d'un
120 panneau, qu'il devait y avoir là une cachette. Mon cœur se mit à battre, et je passai la nuit à chercher le secret sans le pouvoir découvrir.

J'y parvins le lendemain en enfonçant une lame dans une fente de la boiserie. Une planche glissa et j'aperçus, étalée sur
125 un fond de velours noir, une merveilleuse chevelure de femme !

Oui, une chevelure, une énorme natte de cheveux blonds, presque roux, qui avaient dû être coupés contre la peau, et liés par une corde d'or.

130 Je demeurai stupéfait, tremblant, troublé ! Un parfum presque insensible, si vieux qu'il semblait l'âme d'une odeur, s'envolait de ce tiroir mystérieux et de cette surprenante relique[2].

---

notes

1. bibelot : petit objet de décoration ; ici objet d'art recherché par un collectionneur.

2. relique : ce qui reste du corps d'un saint.

Je la pris, doucement, presque religieusement, et je la tirai
135 de sa cachette. Aussitôt elle se déroula, répandant son flot
doré qui tomba jusqu'à terre, épais et léger, souple et brillant
comme la queue en feu d'une comète[1].

Une émotion étrange me saisit. Qu'était-ce que cela ?
Quand, comment, pourquoi ces cheveux avaient-ils été
140 enfermés dans ce meuble ? Quelle aventure, quel drame
cachait ce souvenir ?

Qui les avait coupés ? un amant, un jour d'adieu ? un
mari, un jour de vengeance ? ou bien celle qui les avait
portés sur son front, un jour de désespoir ?

145 Était-ce à l'heure d'entrer au cloître[2] qu'on avait jeté là
cette fortune d'amour, comme un gage laissé au monde des
vivants ? Était-ce à l'heure de la clouer dans la tombe, la
jeune et belle morte, que celui qui l'adorait avait gardé la
parure de sa tête, la seule chose qu'il pût conserver d'elle, la
150 seule partie vivante de sa chair qui ne dût point pourrir, la
seule qu'il pouvait aimer encore et caresser, et baiser dans ses
rages de douleur ?

N'était-ce point étrange que cette chevelure fût demeurée ainsi, alors qu'il ne restait plus une parcelle du corps dont
155 elle était née ?

Elle me coulait sur les doigts, me chatouillait la peau
d'une caresse singulière, d'une caresse de morte. Je me sentais attendri comme si j'allais pleurer.

Je la gardai longtemps, longtemps en mes mains, puis il
160 me sembla qu'elle m'agitait, comme si quelque chose de
l'âme fût resté caché dedans. Et je la remis sur le velours

terni par le temps, et je repoussai le tiroir, et je refermai le
meuble, et je m'en allai par les rues pour rêver.

★

★ ★

J'allais devant moi, plein de tristesse, et aussi plein de
165 trouble, de ce trouble qui vous reste au cœur après un
baiser d'amour. Il me semblait que j'avais vécu autrefois déjà,
que j'avais dû connaître cette femme.

Et les vers de Villon[1] me montèrent aux lèvres, ainsi qu'y
monte un sanglot :

170   Dictes-moy où, ne en quel pays
     Est Flora, la belle Romaine.
     Archipiada[2], ne Thaïs,
     Qui fut sa cousine germaine ?
     Echo parlant quand bruyt on maine
175   Dessus rivière, ou sus estan ;
     Qui beauté eut plus que humaine ?
     Mais où sont les neiges d'antan[3] ?
     ....

     La royne blanche[4] comme un lys
     Qui chantoit à voix de sereine,
180   Berthe au grand pied[5], Bietris, Allys,
     Harembourges qui tint le Mayne,
     Et Jehanne la bonne Lorraine
     Que Anglais bruslèrent à Rouen ?
     Où sont-ils[6], Vierge souveraine ?
185   Mais où sont les neiges d'antan ?

---

notes

1. Villon (François) : poète français (1431-après 1463).

2. Archipiada : Alcibiade, le célèbre Athénien, pris ici pour une femme.

3. d'antan : de l'année dernière.

4. blanche : allusion, peut-être, à Blanche de Castille, la mère de Saint Louis.

5. Berthe au grand pied : la mère de Charlemagne.

6. ils : elles.

Quand je rentrai chez moi, j'éprouvai un irrésistible désir de revoir mon étrange trouvaille ; et je la repris, et je sentis, en la touchant, un long frisson qui me courut dans les membres.

190 Durant quelques jours, cependant, je demeurai dans mon état ordinaire, bien que la pensée vive de cette chevelure ne me quittât plus.

Dès que je rentrais, il fallait que je la visse et que je la maniasse. Je tournais la clef de l'armoire avec ce frémis-
195 sement qu'on a en ouvrant la porte de la bien-aimée, car j'avais aux mains et au cœur un besoin confus, singulier, continu, sensuel de tremper mes doigts dans ce ruisseau charmant de cheveux morts.

Puis, quand j'avais fini de la caresser, quand j'avais refermé
200 le meuble, je la sentais là toujours, comme si elle eût été un être vivant, caché, prisonnier ; je la sentais et je la désirais encore ; j'avais de nouveau le besoin impérieux de la reprendre, de la palper, de m'énerver jusqu'au malaise par ce contact froid, glissant, irritant, affolant, délicieux.

205 Je vécus ainsi un mois ou deux, je ne sais plus. Elle m'obsédait, me hantait. J'étais heureux et torturé, comme dans une attente d'amour, comme après les aveux qui pré-cèdent l'étreinte.

Je m'enfermais seul avec elle pour la sentir sur ma peau,
210 pour enfoncer mes lèvres dedans, pour la baiser, la mordre. Je l'enroulais autour de mon visage, je la buvais, je noyais mes yeux dans son onde dorée, afin de voir le jour blond à travers.

Je l'aimais ! Oui, je l'aimais. Je ne pouvais plus me passer
215 d'elle, ni rester une heure sans la revoir.

Et j'attendais... j'attendais... quoi ? Je ne le savais pas.
– Elle.

Une nuit, je me réveillai brusquement avec la pensée que je ne me trouvais pas seul dans ma chambre.

220 J'étais seul pourtant. Mais je ne pus me rendormir ; et comme je m'agitais dans une fièvre d'insomnie, je me levai pour aller toucher la chevelure. Elle me parut plus douce que de coutume, plus animée. Les morts reviennent-ils ? Les baisers dont je la réchauffais me faisaient défaillir de bonheur ;

225 et je l'emportai dans mon lit, et je me couchai, en la pressant sur mes lèvres, comme une maîtresse qu'on va posséder.

Les morts reviennent ! Elle est venue. Oui, je l'ai vue, je l'ai tenue, je l'ai eue, telle qu'elle était vivante autrefois, grande, blonde, grasse, les seins froids, la hanche en forme de

230 lyre ; et j'ai parcouru de mes caresses cette ligne ondulante et divine qui va de la gorge aux pieds en suivant toutes les courbes de la chair.

Oui, je l'ai eue, tous les jours, toutes les nuits. Elle est revenue, la Morte, la belle Morte, l'Adorable, la Mystérieuse,

235 l'Inconnue, toutes les nuits.

Mon bonheur fut si grand, que je ne l'ai pu cacher. J'éprouvais près d'elle un ravissement surhumain, la joie profonde, inexplicable de posséder l'Insaisissable, l'Invisible, la Morte ! Nul amant ne goûta des jouissances plus ardentes,

240 plus terribles !

Je n'ai point su cacher mon bonheur. Je l'aimais si fort que je n'ai plus voulu la quitter. Je l'ai emportée avec moi toujours, partout. Je l'ai promenée par la ville comme ma femme, et conduite au théâtre en des loges grillées, comme

245 ma maîtresse... Mais on l'a vue... on a deviné... on me l'a prise... Et on m'a jeté dans une prison, comme un malfaiteur. On l'a prise... Oh ! misère !...

★
★ ★

Le manuscrit s'arrêtait là. Et soudain, comme je relevais sur le médecin des yeux effarés, un cri épouvantable, un hurlement de fureur impuissante et de désir exaspéré s'éleva dans l'asile.

« Écoutez-le, dit le docteur. Il faut doucher cinq fois par jour ce fou obscène[1]. Il n'y a pas que le sergent Bertrand[2] qui ait aimé les mortes. »

Je balbutiai, ému d'étonnement, d'horreur et de pitié :

« Mais... cette chevelure... existe-t-elle réellement ? »

Le médecin se leva, ouvrit une armoire pleine de fioles et d'instruments, et il me jeta, à travers son cabinet, une longue fusée de cheveux blonds qui vola vers moi comme un oiseau d'or.

Je frémis en sentant sur mes mains son toucher caressant et léger. Et je restai le cœur battant de dégoût et d'envie, de dégoût comme au contact des objets traînés dans les crimes, d'envie comme devant la tentation d'une chose infâme et mystérieuse.

Le médecin reprit en haussant les épaules :

« L'esprit de l'homme est capable de tout. »

« **Une énorme natte de cheveux blonds, presque roux.** » (page 74).

Au fil du texte

AVEZ-VOUS BIEN LU ?

1. Quel âge donneriez-vous au fou, d'après les premières lignes, et après avoir lu son journal ?

2. En quoi l'épisode de la montre annonce-t-il celui de la chevelure ?

3. Quel est le thème du poème de Villon ? Ce poème a-t-il sa place ici ?

4. Le journal vous paraît-il avoir été écrit par un fou ?

5. Que pensez-vous du traitement que subit son auteur ?

6. Quels sentiments le narrateur★ éprouve-t-il, au début et à la fin du conte ?

narrateur : celui qui raconte.

préfixe : dans un mot composé, c'est l'élément qui est placé devant le radical.

suffixe : dans un mot composé, c'est l'élément qui est placé après le radical.

ÉTUDIER LE VOCABULAIRE

7. « *Invisible, impalpable, insaisissable, immatérielle* », et plus loin, « *irrésistible* » : comment ces mots sont-ils formés ?

8. Comment s'expliquent les modifications du préfixe★ ?

9. « *Nécrophile* » : cherchez des mots formés avec le même suffixe★.

ÉTUDIER LA GRAMMAIRE

10. « *Dès que je rentrais, il fallait que je la visse et que je la maniasse* » (lignes 193-194). Analysez les formes verbales. Réécrivez la phrase en remplaçant « *il fallait* » par « *il faut* ».

ÉTUDIER L'ÉCRITURE

11. Le récit est rédigé, en somme, par deux narrateurs. Identifiez-les.

12. À quoi la chevelure est-elle comparée lors de sa découverte et à la fin du récit ? Quel point commun ces comparaisons⋆ ont-elles ?

13. Dans les lignes 193 à 195, établissez le champ lexical⋆ de l'obsession.

14. Une idée « *obstinée, harcelante, dévorante...* ». L'homme fait « *peine, peur, pitié...* ». Relevez d'autres exemples de style ternaire⋆.

comparaison : **rapprochement de termes exprimé à l'aide de mots outils (comme, ainsi que...).**

champ lexical : **ensemble de mots se rapportant à une même idée.**

style ternaire : **qui se compose de trois éléments.**

ÉTUDIER LE GENRE : LA NOUVELLE

15. Combien ce récit compte-t-il de personnages ? Présentez-les brièvement.

À VOS PLUMES !

16. Faites le portrait de la jeune femme à la tresse. Situez-la dans une époque bien définie, imaginez son rang social, son caractère, ses goûts.

17. Imaginez l'histoire de la jeune femme à la tresse.

Le Tic

Les dîneurs entraient lentement dans la grande salle de l'hôtel et s'asseyaient à leurs places. Les domestiques commencèrent le service tout doucement pour permettre aux retardataires d'arriver et pour n'avoir point à

5 rapporter les plats ; et les anciens baigneurs[1], les habitués, ceux dont la saison avançait, regardaient avec intérêt la porte chaque fois qu'elle s'ouvrait, avec le désir de voir paraître de nouveaux visages.

C'est là la grande distraction des villes d'eaux. On

10 attend le dîner pour inspecter les arrivés du jour, pour deviner ce qu'ils sont, ce qu'ils font, ce qu'ils pensent. Un désir rôde dans notre esprit, le désir de rencontres agréables, de connaissances aimables, d'amours peut-être. Dans cette vie de coudoiements, les voisins, les inconnus,

15 prennent une importance extrême. La curiosité est en éveil, la sympathie en attente et la sociabilité en travail.

notes

1. baigneurs : personnes qui fréquentent les villes thermales.

On a des antipathies d'une semaine et des amitiés d'un mois, on voit les gens avec des yeux différents, sous l'optique spéciale de la connaissance des villes d'eaux. On découvre aux hommes, subitement, dans une causerie d'une heure, le soir, après dîner, sous les arbres du parc où bouillonne la source guérisseuse, une intelligence supérieure et des mérites surprenants, et, un mois plus tard, on a complètement oublié ces nouveaux amis, si charmants aux premiers jours.

Là aussi se forment des liens durables et sérieux, plus vite que partout ailleurs. On se voit tout le jour, on se connaît très vite ; et dans l'affection qui commence se mêle quelque chose de la douceur et de l'abandon des intimités anciennes. On garde plus tard le souvenir cher et attendri de ces premières heures d'amitié, le souvenir de ces premières causeries par qui se fait la découverte de l'âme, de ces premiers regards qui interrogent et répondent aux questions et aux pensées secrètes que la bouche ne dit point encore, le souvenir de cette première confiance cordiale, le souvenir de cette sensation charmante d'ouvrir son cœur à quelqu'un qui semble aussi vous ouvrir le sien.

Et la tristesse de la station de bains, la monotonie des jours tous pareils, rendent plus complète d'heure en heure cette éclosion[1] d'affection.

Donc, ce soir-là, comme tous les soirs, nous attendions l'entrée de figures inconnues.

Il n'en vint que deux, mais très étranges, un homme et une femme : le père et la fille. Ils me firent l'effet, tout de

notes

1. éclosion : naissance.

suite, de personnages d'Edgar Poe[1] ; et pourtant il y avait en
45 eux un charme, un charme malheureux ; je me les repré-
sentai comme des victimes de la fatalité. L'homme était très
grand et maigre, un peu voûté, avec des cheveux tout blancs,
trop blancs pour sa physionomie jeune encore ; et il avait
dans son allure et dans sa personne quelque chose de grave,
50 cette tenue austère[2] que gardent les protestants. La fille, âgée
peut-être de vingt-quatre ou vingt-cinq ans, était petite, fort
maigre aussi, fort pâle, avec un air las, fatigué, accablé. On
rencontre ainsi des gens qui semblent trop faibles pour les
besognes et les nécessités de la vie, trop faibles pour se
55 remuer, pour marcher, pour faire tout ce que nous faisons
tous les jours. Elle était assez jolie, cette enfant, d'une beauté
diaphane[3] d'apparition ; et elle mangeait avec une extrême
lenteur, comme si elle eût été presque incapable de mouvoir
ses bras.

60   C'était elle assurément qui venait prendre les eaux[4].

Ils se trouvèrent en face de moi, de l'autre côté de la table ;
et je remarquai immédiatement que le père avait un tic[5]
nerveux fort singulier.

Chaque fois qu'il voulait atteindre un objet, sa main
65 décrivait un crochet rapide, une sorte de zigzag affolé, avant
de parvenir à toucher ce qu'elle cherchait. Au bout de
quelques instants ce mouvement me fatigua tellement que
je détournais la tête pour ne pas le voir.

---

notes

1. Edgar Poe (1809-1849) :
écrivain américain dont les
Histoires extraordinaires,
traduites par Baudelaire,
mettent en scène des
personnages étranges.

2. austère : sévère.

3. diaphane : translucide,
que peut traverser la lumière.

4. prendre les eaux : suivre
une cure thermale dans une
ville d'eaux.

5. tic : mouvement
involontaire devenu habituel.

Je remarquai aussi que la jeune fille gardait, pour manger,
70 un gant à la main gauche.

Après dîner, j'allai faire un tour dans le parc de l'établissement thermal[1]. Cela se passait dans une petite station d'Auvergne, Châtelguyon, cachée dans une gorge, au pied de la haute montagne d'où s'écoulent tant de sources
75 bouillantes, venues du foyer profond des anciens volcans. Là-bas, au-dessus de nous, les dômes, cratères éteints, levaient leurs têtes tronquées au-dessus de la longue chaîne. Car Châtelguyon est au commencement du pays des dômes.

Plus loin s'étend le pays des pics ; et, plus loin, encore, le
80 pays des plombs.

Le puy de Dôme[2] est le plus haut des dômes, le pic du Sancy[3] le plus élevé des pics, et le plomb du Cantal[4] le plus grand des plombs.

Il faisait très chaud ce soir-là. J'allais, de long en large dans
85 l'allée ombreuse, écoutant, sur le mamelon[5] qui domine le parc, la musique du casino jeter ses premières chansons.

Et j'aperçus, venant vers moi, d'un pas lent, le père et la fille. Je les saluai, comme on salue dans les villes d'eaux ses compagnons d'hôtel ; et l'homme, s'arrêtant aussitôt, me
90 demanda :

« Ne pourriez-vous, monsieur, nous indiquer une promenade courte, facile et jolie si c'est possible ; et excusez mon indiscrétion. »

---

notes

1. **établissement thermal :** établissement où l'on prend des bains thérapeutiques d'eau chaude.

2. **puy de Dôme :** point culminant de la chaîne des puys, 1 465 m.

3. **pic de Sancy (ou puy de Sancy) :** point culminant du Massif central, 1 886 m.

4. **plomb du Cantal :** point culminant du massif du Cantal, 1 858 m.

5. **mamelon :** élévation de terrain au sommet arrondi.

Je m'offris à les conduire au vallon où coule la mince
95 rivière, vallon profond, gorge étroite entre deux grandes
pentes rocheuses et boisées.

Ils acceptèrent.

Et nous parlâmes, naturellement, de la vertu des eaux.

« Oh ! disait-il, ma fille a une étrange maladie, dont on
100 ignore le siège. Elle souffre d'accidents nerveux incompré-
hensibles. Tantôt on la croit atteinte d'une maladie de cœur,
tantôt d'une maladie de foie, tantôt d'une maladie de la
moelle épinière. Aujourd'hui on attribue à l'estomac, qui est
la grande chaudière et le grand régulateur du corps, ce
105 mal-Protée[1] aux mille formes et aux mille atteintes. Voilà
pourquoi nous sommes ici. Moi je crois plutôt que ce sont
les nerfs. En tout cas, c'est bien triste. »

Le souvenir me vint aussitôt du tic violent de sa main, et
je lui demandai :

110 « Mais n'est-ce pas là de l'hérédité ? N'avez-vous pas
vous-même les nerfs un peu malades ? »

Il répondit tranquillement :

« Moi ?... Mais non... j'ai toujours eu les nerfs très
calmes... »

115 Puis soudain, après un silence, il reprit :

« Ah ! vous faites allusion au spasme de ma main chaque
fois que je veux prendre quelque chose ? Cela provient
d'une émotion terrible que j'ai eue. Figurez-vous que cette
enfant a été enterrée vivante ! »

120 Je ne trouvai rien à dire qu'un « Ah ! » de surprise et
d'émotion.

★
★ ★

notes

1. Protée : dieu marin qui
pouvait changer de forme
à volonté.

Il reprit :

– Voici l'aventure. Elle est simple. Juliette avait depuis quelque temps de graves accidents au cœur. Nous croyions à une maladie de cet organe, et nous nous attendions à tout.

On la rapporta un jour froide, inanimée, morte. Elle venait de tomber dans le jardin. Le médecin constata le décès. Je veillai près d'elle un jour et deux nuits ; je la mis moi-même dans le cercueil, que j'accompagnai jusqu'au cimetière où il fut déposé dans notre caveau de famille. C'était en pleine campagne, en Lorraine.

J'avais voulu qu'elle fût ensevelie avec ses bijoux, bracelets, colliers, bagues, tous cadeaux qu'elle tenait de moi, et avec sa première robe de bal.

Vous devez penser quel était l'état de mon cœur et l'état de mon âme en rentrant chez moi. Je n'avais qu'elle, ma femme étant morte depuis longtemps. Je rentrai seul, à moitié fou, exténué, dans ma chambre, et je tombai dans mon fauteuil, sans pensée, sans force maintenant pour faire un mouvement. Je n'étais plus qu'une machine douloureuse, vibrante, un écorché ; mon âme ressemblait à une plaie vive.

Mon vieux valet de chambre, Prosper, qui m'avait aidé à déposer Juliette dans son cercueil, et à la parer pour ce dernier sommeil, entra sans bruit et demanda :

« Monsieur veut-il prendre quelque chose ? »

Je fis « non » de la tête sans répondre.

Il reprit :

« Monsieur a tort. Il arrivera du mal à monsieur. Monsieur veut-il alors que je le mette au lit ? »

Je prononçai :

« Non, laisse-moi. »

Et il se retira.

Combien s'écoula-t-il d'heures, je n'en sais rien. Oh ! quelle nuit ! quelle nuit ! Il faisait froid ; mon feu s'était

155 éteint dans la grande cheminée, et le vent, un vent d'hiver,
un vent glacé, un grand vent de pleine gelée, heurtait les
fenêtres avec un bruit sinistre et régulier.

Combien s'écoula-t-il d'heures ? J'étais là, sans dormir,
affaissé, accablé, les yeux ouverts, les jambes allongées, le
160 corps mou, mort, et l'esprit engourdi de désespoir. Tout à
coup, la grande cloche de la porte d'entrée, la grande cloche
du vestibule tinta.

J'eus une telle secousse que mon siège craqua sous moi.
Le son grave et pesant vibrait dans le château vide comme
165 dans un caveau. Je me retournai pour voir l'heure à mon
horloge. Il était deux heures du matin. Qui pouvait venir à
cette heure ?

Et brusquement la cloche sonna de nouveau deux coups.
Les domestiques, sans doute, n'osaient pas se lever. Je pris
170 une bougie et je descendis. Je faillis demander :

« Qui est là ? »

Puis j'eus honte de cette faiblesse, et je tirai lentement les
gros verrous. Mon cœur battait ; j'avais peur. J'ouvris la
porte brusquement et j'aperçus dans l'ombre une forme
175 blanche dressée, quelque chose comme un fantôme.

Je reculai, perclus[1] d'angoisse, balbutiant :

« Qui... qui... qui êtes-vous ? »

Une voix répondit :

« C'est moi, père. »

180 C'était ma fille !

Certes, je me crus fou ; et je m'en allais à reculons devant
ce spectre[2] qui entrait ; je m'en allais, faisant de la main,

---

notes

1. perclus : paralysé.   **2. spectre :** fantôme.

comme pour le chasser, ce geste que vous avez vu tout à l'heure : ce geste qui ne m'a plus quitté.

185   L'apparition reprit :

« N'aie pas peur, papa ; je n'étais pas morte. On a voulu me voler mes bagues, et on m'a coupé un doigt ; le sang s'est mis à couler, et cela m'a ranimée. »

Et je m'aperçus, en effet, qu'elle était couverte de sang.

190   Je tombai sur les genoux, étouffant, sanglotant, râlant.

Puis quand j'eus ressaisi un peu ma pensée, tellement éperdu encore que je comprenais mal le bonheur terrible qui m'arrivait, je la fis monter dans ma chambre, je la fis asseoir dans mon fauteuil ; puis je sonnai Prosper à coups

195   précipités pour qu'il rallumât le feu, qu'il préparât à boire et allât chercher des secours.

L'homme entra, regarda ma fille, ouvrit la bouche dans un spasme[1] d'épouvante et d'horreur, puis tomba roide mort sur le dos.

200   C'était lui qui avait ouvert le caveau, qui avait mutilé, puis abandonné mon enfant : car il ne pouvait effacer les traces du vol. Il n'avait même pas pris soin de remettre le cercueil dans sa case, sûr d'ailleurs de n'être pas soupçonné par moi, dont il avait toute la confiance.

205   Vous voyez, monsieur, que nous sommes des gens bien malheureux.

★
★ ★

notes

1. spasme : contraction des muscles, brutale et involontaire.

Il se tut.

La nuit était venue, enveloppant le petit vallon solitaire et triste, et une sorte de peur mystérieuse m'étreignait à me sentir auprès de ces êtres étranges, de cette morte revenue et de ce père aux gestes effrayants.

Je ne trouvais rien à dire. Je murmurai :

« Quelle horrible chose !... »

Puis, après une minute, j'ajoutai :

« Si nous rentrions, il me semble qu'il fait frais. »

Et nous retournâmes vers l'hôtel.

C. Charpentier (1767-1849), *La Mélancolie*
(Amiens, musée de Picardie).

Au fil du texte

AVEZ-VOUS BIEN LU ?

1. Quelle est la principale distraction des curistes ?

2. Quel sentiment ce désir de distraction traduit-il ?

3. Qu'est-ce qui attire l'attention du narrateur★ chez les deux nouveaux arrivants ?

4. Qui aide le père à mettre sa fille dans le cercueil ? Ce détail est-il important ?

5. Où le corps est-il déposé ? Pourquoi ce détail est-il, lui aussi, important ?

6. Quel double coup de théâtre termine le récit du père ?

narrateur : celui qui raconte.

radical : élément commun à tous les mots d'une même famille.

ÉTUDIER LE VOCABULAIRE

7. Cherchez des mots de la famille de « thermal ». Distinguez le radical★ « *ther-* » du radical « *term-* ».

ÉTUDIER LA GRAMMAIRE

8. Quel est le temps dominant dans le premier paragraphe ? Quelle est sa valeur ?

9. Quelle est la valeur du présent dans le second paragraphe ?

ÉTUDIER L'ÉCRITURE

10. Ce conte est fait de deux récits : identifiez les deux narrateurs.

11. Le récit comprend quatre parties : donnez un titre explicite à chacune d'elles.

12. Dans la deuxième partie, relevez le groupe nominal qui, dans le portrait de la jeune fille, la compare implicitement à un fantôme.

comparaison : **rapprochement de termes exprimé à l'aide de mots outils (comme, ainsi que…).**

13. Dans la troisième partie, à quoi le château est-il comparé, la nuit qui suit l'enterrement ? Cette comparaison★ est-elle bien choisie ?

14. Étudiez la mise en scène de l'apparition : le cadre, la saison, l'heure, l'état d'esprit du narrateur.

ÉTUDIER LE GENRE : LA NOUVELLE

15. Par quelles notations le premier narrateur pique-t-il la curiosité du lecteur ?

16. Évaluez la durée de l'aventure évoquée par le second narrateur : quelle caractéristique de la nouvelle apparaît donc ici ?

À VOS PLUMES !

17. Dans une lettre à un ami, le narrateur rapporte, en y mêlant des commentaires, le récit qu'il vient d'entendre.

La Parure[1]

C'était une de ces jolies et charmantes filles, nées, comme par une erreur du destin, dans une famille d'employés. Elle n'avait pas de dot[2], pas d'espérances, aucun moyen d'être connue, comprise, aimée, épousée par un homme riche et distingué ; et elle se laissa marier avec un petit commis[3] du ministère de l'Instruction publique.

Elle fut simple ne pouvant être parée, mais malheureuse comme une déclassée[4] ; car les femmes n'ont point de caste[5] ni de race, leur beauté, leur grâce et leur charme leur servant de naissance et de famille. Leur finesse native, leur instinct d'élégance, leur souplesse d'esprit, sont leur seule hiérarchie, et font des filles du peuple les égales des plus grandes dames.

notes

1. parure : ensemble de bijoux.

2. dot : biens qu'une femme apporte à l'occasion de son mariage.

3. commis : employé de bureau.

4. déclassée : déchue de sa classe sociale, de son rang.

5. caste : classe sociale.

Elle souffrait sans cesse, se sentant née pour toutes les
15 délicatesses et tous les luxes. Elle souffrait de la pauvreté de
son logement, de la misère des murs, de l'usure des sièges, de
la laideur des étoffes. Toutes ces choses, dont une autre
femme de sa caste ne se serait même pas aperçue, la tortu-
raient et l'indignaient. La vue de la petite Bretonne qui fai-
20 sait son humble ménage éveillait en elle des regrets désolés
et des rêves éperdus. Elle songeait aux antichambres muettes,
capitonnées avec des tentures orientales, éclairées par de
hautes torchères[1] de bronze, et aux deux grands valets en
culotte courte qui dorment dans les larges fauteuils, assoupis
25 par la chaleur lourde du calorifère. Elle songeait aux grands
salons vêtus de soie ancienne, aux meubles fins portant des
bibelots[2] inestimables, et aux petits salons coquets, parfumés,
faits pour la causerie de cinq heures avec les amis les plus
intimes, les hommes connus et recherchés dont toutes les
30 femmes envient et désirent l'attention.

Quand elle s'asseyait, pour dîner, devant la table ronde
couverte d'une nappe de trois jours, en face de son mari qui
découvrait la soupière en déclarant d'un air enchanté : « Ah !
le bon pot-au-feu ! je ne sais rien de meilleur que cela… »
35 elle songeait aux dîners fins, aux argenteries reluisantes, aux
tapisseries peuplant les murailles de personnages anciens et
d'oiseaux étranges au milieu d'une forêt de féerie ; elle songeait aux plats exquis servis en des vaisselles merveilleuses,
aux galanteries chuchotées et écoutées avec un sourire de
40 sphinx, tout en mangeant la chair rose d'une truite ou des
ailes de gelinotte[3].

---

notes

1. **torchères :** candélabres
ou appliques destinées
à recevoir des flambeaux.

2. **bibelots :** petits objets d'art.

3. **gelinotte :** oiseau sauvage
voisin de la perdrix, gibier
recherché.

Elle n'avait pas de toilettes, pas de bijoux, rien. Et elle n'aimait que cela ; elle se sentait faite pour cela. Elle eût tant désiré plaire, être enviée, être séduisante et recherchée.

Elle avait une amie riche, une camarade de couvent qu'elle ne voulait plus aller voir, tant elle souffrait en revenant. Et elle pleurait pendant des jours entiers, de chagrin, de regret, de désespoir et de détresse.

Or, un soir, son mari rentra, l'air glorieux, et tenant à la main une large enveloppe.

« Tiens, dit-il, voici quelque chose pour toi. »

Elle déchira vivement le papier et en tira une carte imprimée qui portait ces mots :

« Le ministre de l'Instruction publique et Mme Georges Ramponneau prient M. et Mme Loisel de leur faire l'honneur de venir passer la soirée à l'hôtel du ministère, le lundi 18 janvier. »

Au lieu d'être ravie, comme l'espérait son mari, elle jeta avec dépit l'invitation sur la table, murmurant :

« Que veux-tu que je fasse de cela ?

– Mais, ma chérie, je pensais que tu serais contente. Tu ne sors jamais, et c'est une occasion, cela, une belle ! J'ai eu une peine infinie à l'obtenir. Tout le monde en veut ; c'est très recherché et on n'en donne pas beaucoup aux employés. Tu verras là tout le monde officiel. »

Elle le regardait d'un œil irrité, et elle déclara avec impatience :

« Que veux-tu que je me mette sur le dos pour aller là ? »

Il n'y avait pas songé ; il balbutia :

« Mais la robe avec laquelle tu vas au théâtre. Elle me semble très bien, à moi... »

Il se tut, stupéfait, éperdu, en voyant que sa femme
pleurait. Deux grosses larmes descendaient lentement des
75 coins des yeux vers les coins de la bouche ; il bégaya :

– « Qu'as-tu ? qu'as-tu ? »

Mais, par un effort violent, elle avait dompté sa peine
et elle répondit d'une voix calme en essuyant ses joues
humides :

80 « Rien. Seulement je n'ai pas de toilette et par conséquent je ne peux aller à cette fête. Donne ta carte à quelque
collègue dont la femme sera mieux nippée[1] que moi. »

Il était désolé. Il reprit :

« Voyons, Mathilde. Combien cela coûterait-il, une toi-
85 lette convenable, qui pourrait te servir encore en d'autres
occasions, quelque chose de très simple ? »

Elle réfléchit quelques secondes, établissant ses comptes et
songeant aussi à la somme qu'elle pouvait demander sans
s'attirer un refus immédiat et une exclamation effarée[2] du
90 commis économe.

Enfin, elle répondit en hésitant :

« Je ne sais pas au juste, mais il me semble qu'avec quatre
cents francs je pourrais arriver. »

Il avait un peu pâli, car il réservait juste cette somme pour
95 acheter un fusil et s'offrir des parties de chasse, l'été suivant,
dans la plaine de Nanterre, avec quelques amis qui allaient
tirer des alouettes, par là, le dimanche.

Il dit cependant :

« Soit. Je te donne quatre cents francs. Mais tâche d'avoir
100 une belle robe. »

---

notes

1. nippée : habillée (familier).   **2. effarée :** étonnée, effrayée.

Le jour de la fête approchait, et Mme Loisel semblait triste, inquiète, anxieuse. Sa toilette était prête cependant. Son mari lui dit un soir :

« Qu'as-tu ? Voyons, tu es toute drôle depuis trois jours. »

Et elle répondit :

« Cela m'ennuie de n'avoir pas un bijou, pas une pierre, rien à mettre sur moi. J'aurai l'air misère comme tout. J'aimerais presque mieux ne pas aller à cette soirée. »

Il reprit :

« Tu mettras des fleurs naturelles. C'est très chic en cette saison-ci. Pour dix francs tu auras deux ou trois roses magnifiques. »

Elle n'était point convaincue.

« Non... il n'y a rien de plus humiliant que d'avoir l'air pauvre au milieu de femmes riches. »

Mais son mari s'écria :

« Que tu es bête ! Va trouver ton amie Mme Forestier et demande-lui de te prêter des bijoux. Tu es bien assez liée avec elle pour faire cela. »

Elle poussa un cri de joie :

« C'est vrai. Je n'y avais point pensé. »

Le lendemain, elle se rendit chez son amie et lui conta sa détresse.

Mme Forestier alla vers son armoire à glace, prit un large coffret, l'apporta, l'ouvrit, et dit à Mme Loisel :

« Choisis, ma chère. »

Elle vit d'abord des bracelets, puis un collier de perles, puis une croix vénitienne, or et pierreries, d'un admirable travail. Elle essayait les parures devant la glace, hésitait, ne pouvait se décider à les quitter, à les rendre. Elle demandait toujours :

« Tu n'as plus rien d'autre ?

– Mais si. Cherche. Je ne sais pas ce qui peut te plaire. »

135 Tout à coup elle découvrit, dans une boîte de satin noir, une superbe rivière de diamants[1] ; et son cœur se mit à battre d'un désir immodéré. Ses mains tremblaient en la prenant. Elle l'attacha autour de sa gorge, sur sa robe montante, et demeura en extase devant elle-même.

Puis elle demanda, hésitante, pleine d'angoisse :

140 « Peux-tu me prêter cela, rien que cela ?

– Mais oui, certainement. »

Elle sauta au cou de son amie, l'embrassa avec emportement, puis s'enfuit avec son trésor.

Le jour de la fête arriva. Mme Loisel eut un succès. Elle

145 était plus jolie que toutes, élégante, gracieuse, souriante et folle de joie. Tous les hommes la regardaient, demandaient son nom, cherchaient à être présentés. Tous les attachés[2] du cabinet[3] voulaient valser avec elle. Le ministre la remarqua.

Elle dansait avec ivresse, avec emportement, grisée[4] par le

150 plaisir, ne pensant plus à rien, dans le triomphe de sa beauté, dans la gloire de son succès, dans une sorte de nuage de bonheur fait de tous ces hommages, de toutes ces admirations, de tous ces désirs éveillés, de cette victoire complète et si douce au cœur des femmes.

155 Elle partit vers quatre heures du matin. Son mari, depuis minuit, dormait dans un petit salon désert avec trois autres messieurs dont les femmes s'amusaient beaucoup.

---

notes

1. **rivière de diamants :** collier de diamants.

2. **attachés du cabinet :** fonctionnaires ministériels.

3. **cabinet :** ensemble du personnel et des services qui dépendent d'un ministre.

4. **grisée :** enivrée.

Il lui jeta sur les épaules les vêtements qu'il avait apportés pour la sortie, modestes vêtements de la vie ordinaire, dont la pauvreté jurait avec l'élégance de la toilette de bal. Elle le sentit et voulut s'enfuir, pour ne pas être remarquée par les autres femmes qui s'enveloppaient de riches fourrures.

Loisel la retenait :

« Attends donc. Tu vas attraper froid dehors. Je vais appeler un fiacre. »

Mais elle ne l'écoutait point et descendait rapidement l'escalier. Lorsqu'ils furent dans la rue, ils ne trouvèrent pas de voiture ; et ils se mirent à chercher, criant après les cochers qu'ils voyaient passer de loin.

Ils descendaient vers la Seine, désespérés, grelottants. Enfin ils trouvèrent sur le quai un de ces vieux coupés[1] noctambules qu'on ne voit dans Paris que la nuit venue, comme s'ils eussent été honteux de leur misère pendant le jour.

Il les ramena jusqu'à leur porte, rue des Martyrs, et ils remontèrent tristement chez eux. C'était fini, pour elle. Et il songeait, lui, qu'il lui faudrait être au Ministère à dix heures.

Elle ôta les vêtements dont elle s'était enveloppé les épaules, devant la glace, afin de se voir encore une fois dans sa gloire. Mais soudain elle poussa un cri. Elle n'avait plus sa rivière autour du cou !

Son mari, à moitié dévêtu déjà, demanda :

« Qu'est-ce que tu as ? »

Elle se tourna vers lui, affolée :

« J'ai… j'ai… je n'ai plus la rivière de Mme Forestier. »

notes

1. coupés : voitures fermées à quatre roues.

Il se dressa, éperdu :

« Quoi !... comment !... Ce n'est pas possible ! »

Et ils cherchèrent dans les plis de la robe, dans les plis du manteau, dans les poches, partout. Ils ne la trouvèrent point.

Il demandait :

« Tu es sûre que tu l'avais encore en quittant le bal ?

– Oui, je l'ai touchée dans le vestibule du Ministère.

– Mais, si tu l'avais perdue dans la rue, nous l'aurions entendue tomber. Elle doit être dans le fiacre.

– Oui. C'est probable. As-tu pris le numéro ?

– Non. Et toi, tu ne l'as pas regardé ?

– Non. »

Ils se contemplaient, atterrés. Enfin Loisel se rhabilla.

« Je vais, dit-il, refaire tout le trajet que nous avons fait à pied, pour voir si je ne la retrouverai pas. »

Et il sortit. Elle demeura en toilette de soirée, sans force pour se coucher, abattue sur une chaise, sans feu, sans pensée.

Son mari rentra vers sept heures. Il n'avait rien trouvé.

Il se rendit à la préfecture de Police, aux journaux, pour faire promettre une récompense, aux compagnies de petites voitures, partout enfin où un soupçon d'espoir le poussait.

Elle attendit tout le jour, dans le même état d'effarement devant cet affreux désastre.

Loisel revint le soir, avec la figure creusée, pâlie ; il n'avait rien découvert.

« Il faut, dit-il, écrire à ton amie que tu as brisé la ferme-ture de sa rivière et que tu la fais réparer. Cela nous donnera le temps de nous retourner. »

Elle écrivait sous sa dictée.

Au bout d'une semaine, ils avaient perdu toute espérance. Et Loisel, vieilli de cinq ans, déclara :

« Il faut aviser à remplacer ce bijou. »

Ils prirent, le lendemain, la boîte qui l'avait renfermé, et
se rendirent chez le joaillier, dont le nom se trouvait dedans.
Il consulta ses livres :

« Ce n'est pas moi, madame, qui ai vendu cette rivière ;
j'ai dû seulement fournir l'écrin. »

Alors ils allèrent de bijoutier en bijoutier, cherchant une
parure pareille à l'autre, consultant leurs souvenirs, malades
tous deux de chagrin et d'angoisse.

Ils trouvèrent, dans une boutique du Palais-Royal, un
chapelet de diamants qui leur parut entièrement semblable à
celui qu'ils cherchaient. Il valait quarante mille francs. On le
leur laisserait à trente-six mille.

Ils prièrent donc le joaillier de ne pas le vendre avant trois
jours. Et ils firent condition qu'on le reprendrait, pour
trente-quatre mille francs, si le premier était retrouvé avant
la fin de février.

Loisel possédait dix-huit mille francs que lui avait laissés
son père. Il emprunterait le reste.

Il emprunta, demandant mille francs à l'un, cinq cents à
l'autre, prit cinq louis[1] par-ci, trois louis par-là. Il fit des
billets[2], prit des engagements ruineux, eut affaire aux usuriers[3], à toutes les races de prêteurs. Il compromit toute la
fin de son existence, risqua sa signature sans savoir même s'il
pourrait y faire honneur, et, épouvanté par les angoisses de
l'avenir, par la noire misère qui allait s'abattre sur lui, par la
perspective de toutes les privations physiques et de toutes les

---

notes

1. louis : pièce de vingt francs.

2. billets : engagements
écrits de payer une somme
d'argent.

3. usuriers : personnes qui
prêtent de l'argent à un taux
supérieur au taux légal.

245 tortures morales, il alla chercher la rivière nouvelle, en déposant sur le comptoir du marchand trente-six mille francs.

Quand Mme Loisel reporta la parure à Mme Forestier, celle-ci lui dit, d'un air froissé[1] :

« Tu aurais dû me la rendre plus tôt, car je pouvais en
250 avoir besoin. »

Elle n'ouvrit pas l'écrin, ce que redoutait son amie. Si elle s'était aperçue de la substitution, qu'aurait-elle pensé ? qu'aurait-elle dit ? Ne l'aurait-elle pas prise pour une voleuse ?

255 Mme Loisel connut la vie horrible des nécessiteux[2]. Elle prit son parti, d'ailleurs, tout d'un coup, héroïquement. Il fallait payer cette dette effroyable. Elle paierait. On renvoya la bonne ; on changea de logement ; on loua sous les toits une mansarde.

260 Elle connut les gros travaux du ménage, les odieuses besognes de la cuisine. Elle lava la vaisselle, usant ses ongles roses sur les poteries grasses et le fond des casseroles. Elle savonna le linge sale, les chemises et les torchons, qu'elle faisait sécher sur une corde ; elle descendit à la rue, chaque
265 matin, les ordures, et monta l'eau, s'arrêtant à chaque étage pour souffler. Et, vêtue comme une femme du peuple, elle alla chez le fruitier, chez l'épicier, chez le boucher, le panier au bras, marchandant, injuriée, défendant sou à sou son misérable argent.

270 Il fallait chaque mois payer des billets, en renouveler d'autres, obtenir du temps.

---

notes

1. froissé : contrarié, vexé.

2. nécessiteux : pauvres.

Le mari travaillait, le soir, à mettre au net les comptes d'un commerçant, et la nuit, souvent, il faisait de la copie à cinq sous la page.

275 Et cette vie dura dix ans.

Au bout de dix ans, ils avaient tout restitué, tout, avec le taux de l'usure, et l'accumulation des intérêts superposés.

Mme Loisel semblait vieille, maintenant. Elle était devenue la femme forte, et dure, et rude, des ménages pauvres. Mal 280 peignée, avec les jupes de travers et les mains rouges, elle parlait haut, lavait à grande eau les planchers. Mais parfois, lorsque son mari était au bureau, elle s'asseyait auprès de la fenêtre, et elle songeait à cette soirée d'autrefois, à ce bal, où elle avait été si belle et si fêtée.

285 Que serait-il arrivé si elle n'avait point perdu cette parure ? Qui sait ? qui sait ? Comme la vie est singulière, changeante ! Comme il faut peu de chose pour vous perdre ou vous sauver !

Or, un dimanche, comme elle était allée faire un tour aux 290 Champs-Élysées pour se délasser des besognes de la semaine, elle aperçut tout à coup une femme qui promenait un enfant. C'était Mme Forestier, toujours jeune, toujours belle, toujours séduisante.

Mme Loisel se sentit émue. Allait-elle lui parler ? Oui, 295 certes. Et maintenant qu'elle avait payé, elle lui dirait tout. Pourquoi pas ?

Elle s'approcha.

« Bonjour, Jeanne. »

L'autre ne la reconnaissait point, s'étonnant d'être appe-300 lée ainsi familièrement par cette bourgeoise. Elle balbutia :

« Mais... madame !... Je ne sais... Vous devez vous tromper.

– Non. Je suis Mathilde Loisel. »

Son amie poussa un cri :

« Oh !... ma pauvre Mathilde, comme tu es changée !...

305 — Oui, j'ai eu des jours bien durs, depuis que je ne t'ai vue ; et bien des misères... et cela à cause de toi !...

— De moi... Comment ça ?

— Tu te rappelles bien cette rivière de diamants que tu m'as prêtée pour aller à la fête du Ministère.

310 — Oui. Eh bien ?

— Eh bien, je l'ai perdue.

— Comment ! puisque tu me l'as rapportée.

— Je t'en ai rapporté une autre toute pareille. Et voilà dix ans que nous la payons. Tu comprends que ça n'était pas aisé

315 pour nous, qui n'avions rien... Enfin c'est fini, et je suis rudement contente. »

Mme Forestier s'était arrêtée.

« Tu dis que tu as acheté une rivière de diamants pour remplacer la mienne ?

320 — Oui. Tu ne t'en étais pas aperçue, hein ? Elles étaient bien pareilles. »

Et elle souriait d'une joie orgueilleuse et naïve.

Mme Forestier, fort émue, lui prit les deux mains.

« Oh ! ma pauvre Mathilde ! Mais la mienne était fausse.

325 Elle valait au plus cinq cents francs !... »

« *Une superbe rivière de diamants.* »
(page 98).

Au fil du texte

AVEZ-VOUS BIEN LU ?

1. Pourquoi Mme Loisel est-elle malheureuse ?

2. Combien la parure achetée vaut-elle ?

3. Comparez le prix de cette parure avec celui de la robe et avec le montant de l'héritage du mari. Est-ce une somme importante ?

4. Combien de temps a-t-il fallu aux époux pour rembourser leurs dettes ?

5. Quels changements physiques se sont manifestés chez Mme Loisel ?

6. La réponse du joaillier ne laissait-elle pas entrevoir le dénouement★ ?

dénouement : manière dont le récit s'achève.

suffixe : dans un mot composé, c'est l'élément qui est placé après le radical.

radical : élément commun à tous les mots d'une même famille.

ÉTUDIER LE VOCABULAIRE

7. « *Noctambule* » : l'élément « *ambul-* » (du latin *ambulare* : marcher) entre dans la composition de plusieurs mots, comme suffixe★ ou comme radical★. Pouvez-vous en citer quelques-uns ?

ÉTUDIER LA GRAMMAIRE

8. Le participe présent a une valeur de verbe et une valeur d'adjectif. Relevez, dans les lignes 136 à 154, un gérondif, un participe et trois adjectifs verbaux.

ÉTUDIER L'ÉCRITURE

9. Relevez une affirmation du mari qui montre combien ses goûts diffèrent de ceux de sa femme.

10. Dans quelle rue les Loisel habitent-ils ?
N'y a-t-il pas là un trait d'humour de Maupassant ?

11. Établissez le champ lexical* de la richesse (lignes 21 à 41).

12. Établissez le champ lexical de l'argent (lignes 235 à 246).

champ lexical : **ensemble de mots se rapportant à une même idée.**

ÉTUDIER LE GENRE : LA NOUVELLE

13. Le dénouement d'une nouvelle ménage généralement un effet de surprise : quels commentaires vous suggère la réflexion finale de Mme Forestier ?

14. En combien de lignes la vie laborieuse des Loisel – qui a duré dix ans – est-elle évoquée ? Quelle autre caractéristique de la nouvelle apparaît donc ici ?

À VOS PLUMES !

15. Imaginez une suite immédiate au texte.

16. Les Loisel ont récupéré la rivière de diamants. Imaginez et décrivez leur vie un an plus tard (leur appartement, leurs habits, leurs activités).

Mon oncle Jules

À M. Achille Bénouville[1].

Un vieux pauvre, à barbe blanche, nous demanda l'aumône. Mon camarade Joseph Davranche lui donna cent sous. Je fus surpris. Il me dit :

« Ce misérable m'a rappelé une histoire que je vais te
5 dire et dont le souvenir me poursuit sans cesse. La voici :

Ma famille, originaire du Havre, n'était pas riche. On s'en tirait, voilà tout. Le père travaillait, rentrait tard du bureau et ne gagnait pas grand-chose. J'avais deux sœurs.

Ma mère souffrait beaucoup de la gêne où nous
10 vivions, et elle trouvait souvent des paroles aigres pour son mari, des reproches voilés et perfides. Le pauvre homme avait alors un geste qui me navrait. Il se passait la main ouverte sur le front, comme pour essuyer une sueur

notes

1. Achille Bénouville : peintre paysagiste (1815-1891).

qui n'existait pas, et il ne répondait rien. Je sentais sa douleur
15 impuissante. On économisait sur tout ; on n'acceptait jamais
un dîner, pour n'avoir pas à le rendre ; on achetait des
provisions au rabais, les fonds de boutique. Mes sœurs
faisaient leurs robes elles-mêmes et avaient de longues
discussions sur le prix d'un galon[1] qui valait quinze centimes
20 le mètre. Notre nourriture ordinaire consistait en soupe
grasse et bœuf accommodé à toutes les sauces. Cela est sain
et réconfortant, paraît-il ; j'aurais préféré autre chose.

On me faisait des scènes abominables pour les boutons
perdus et les pantalons déchirés.

25 Mais chaque dimanche nous allions faire notre tour de
jetée en grande tenue. Mon père, en redingote, en grand
chapeau, en gants, offrait le bras à ma mère, pavoisée[2]
comme un navire un jour de fête. Mes sœurs, prêtes les premières, attendaient le signal du départ ; mais, au dernier
30 moment, on découvrait toujours une tache oubliée sur la
redingote du père de famille, et il fallait bien vite l'effacer
avec un chiffon mouillé de benzine[3].

Mon père, gardant son grand chapeau sur la tête, attendait, en manches de chemise, que l'opération fût terminée,
35 tandis que ma mère se hâtait, ayant ajusté ses lunettes de
myope et ôté ses gants pour ne pas les gâter.

On se mettait en route avec cérémonie. Mes sœurs mar-
chaient devant, en se donnant le bras. Elles étaient en âge de
mariage, et on en faisait montre en ville. Je me tenais à
40 gauche de ma mère, dont mon père gardait la droite, et je me
rappelle l'air pompeux de mes pauvres parents dans ces

---

notes

1. galon : ruban tissé serré
que l'on coud sur les
vêtements pour les orner.

2. pavoisée : littéralement,
décorée de drapeaux.

3. benzine ou benzène :
détachant chimique.

promenades du dimanche, la rigidité de leurs traits, la sévérité de leur allure. Ils avançaient, d'un pas grave, le corps droit, les jambes raides, comme si une affaire d'une impor-
45 tance extrême eût dépendu de leur tenue.

Et chaque dimanche, en voyant entrer les grands navires qui revenaient de pays inconnus et lointains, mon père prononçait invariablement les mêmes paroles :

« Hein ! si Jules était là-dedans, quelle surprise ! »
50 Mon oncle Jules, le frère de mon père, était le seul espoir de la famille, après en avoir été la terreur. J'avais entendu parler de lui depuis mon enfance, et il me semblait que je l'aurais reconnu du premier coup, tant sa pensée m'était devenue familière. Je savais tous les détails de son existence
55 jusqu'au jour de son départ pour l'Amérique, bien qu'on ne parlât qu'à voix basse de cette période de sa vie.

Il avait eu, paraît-il, une mauvaise conduite, c'est-à-dire qu'il avait mangé quelque argent[1], ce qui est bien le plus grand des crimes pour les familles pauvres. Chez les riches,
60 un homme qui s'amuse fait des bêtises. Il est ce qu'on appelle, en souriant, un noceur. Chez les nécessiteux[2], un garçon qui force ses parents à écorner[3] le capital devient un mauvais sujet, un gueux, un drôle !

Et cette distinction est juste, bien que le fait soit le même,
65 car les conséquences seules déterminent la gravité de l'acte.

Enfin l'oncle Jules avait notablement diminué l'héritage sur lequel comptait mon père ; après avoir d'ailleurs mangé sa part jusqu'au dernier sou.

notes

1. il avait mangé quelque argent : il avait gaspillé de l'argent.

2. les nécessiteux : les pauvres.

3. écorner : entamer.

On l'avait embarqué pour l'Amérique, comme on faisait
70 alors, sur un navire marchand allant du Havre à New York.

Une fois là-bas, mon oncle Jules s'établit marchand de je
ne sais quoi, et il écrivit bientôt qu'il gagnait un peu
d'argent et qu'il espérait pouvoir dédommager mon père
du tort qu'il lui avait fait. Cette lettre causa dans la famille
75 une émotion profonde. Jules, qui ne valait pas, comme on
dit, les quatre fers d'un chien, devint tout à coup un honnête
homme, un garçon de cœur, un vrai Davranche, intègre
comme tous les Davranche.

Un capitaine nous apprit en outre qu'il avait loué une
80 grande boutique et qu'il faisait un commerce important.

Une seconde lettre, deux ans plus tard, disait : « Mon cher
Philippe, je t'écris pour que tu ne t'inquiètes pas de ma
santé, qui est bonne. Les affaires aussi vont bien. Je pars
demain pour un long voyage en Amérique du Sud. Je serai
85 peut-être plusieurs années sans te donner de mes nouvelles.
Si je ne t'écris pas, ne sois pas inquiet. Je reviendrai au Havre
une fois fortune faite. J'espère que ce ne sera pas trop long,
et nous vivrons heureux ensemble... »

Cette lettre était devenue l'évangile[1] de la famille. On la
90 lisait à tout propos, on la montrait à tout le monde.

Pendant dix ans, en effet, l'oncle Jules ne donna plus de
nouvelles ; mais l'espoir de mon père grandissait à mesure
que le temps marchait ; et ma mère aussi disait souvent :

« Quand ce bon Jules sera là, notre situation changera. En
95 voilà un qui a su se tirer d'affaire ! »

notes

**1. l'évangile (« la bonne
nouvelle ») :** la lettre est pour
la famille ce qu'est l'Évangile
pour les chrétiens.

Et chaque dimanche, en regardant venir de l'horizon les gros vapeurs noirs vomissant sur le ciel des serpents de fumée, mon père répétait sa phrase éternelle :

« Hein ! si Jules était là-dedans, quelle surprise ! »

100 Et on s'attendait presque à le voir agiter un mouchoir, et crier :

« Ohé ! Philippe. »

On avait échafaudé mille projets sur ce retour assuré ; on devait même acheter, avec l'argent de l'oncle, une petite
105 maison de campagne près d'Ingouville[1]. Je n'affirmerais pas que mon père n'eût point entamé déjà des négociations à ce sujet.

L'aînée de mes sœurs avait alors vingt-huit ans ; l'autre vingt-six. Elles ne se mariaient pas, et c'était là un gros
110 chagrin pour tout le monde.

Un prétendant enfin se présenta pour la seconde. Un employé, pas riche, mais honorable. J'ai toujours eu la conviction que la lettre de l'oncle Jules, montrée un soir, avait terminé les hésitations et emporté la résolution du
115 jeune homme.

On l'accepta avec empressement, et il fut décidé qu'après le mariage toute la famille ferait ensemble un petit voyage à Jersey[2].

Jersey est l'idéal du voyage pour les gens pauvres. Ce n'est
120 pas loin ; on passe la mer dans un paquebot et on est en terre étrangère, cet îlot appartenant aux Anglais. Donc, un Français, avec deux heures de navigation, peut s'offrir la vue d'un peuple voisin chez lui et étudier les mœurs, déplorables

notes

1. Ingouville : localité située à environ 30 km à l'est de Fécamp.

2. Jersey : île anglo-normande, située à 25 km à l'ouest du Cotentin.

d'ailleurs, de cette île couverte par le pavillon britannique,
125 comme disent les gens qui parlent avec simplicité.

Ce voyage de Jersey devint notre préoccupation, notre
unique attente, notre rêve de tous les instants.

On partit enfin. Je vois cela comme si c'était d'hier : le
vapeur chauffant contre le quai de Grandville[1] ; mon père,
130 effaré, surveillant l'embarquement de nos trois colis ; ma
mère inquiète ayant pris le bras de ma sœur non mariée, qui
semblait perdue depuis le départ de l'autre, comme un poulet resté seul de sa couvée ; et, derrière nous, les nouveaux
époux qui restaient toujours en arrière, ce qui me faisait
135 souvent tourner la tête.

Le bâtiment siffla. Nous voici montés, et le navire, quittant la jetée, s'éloigna sur une mer plate comme une table de
marbre vert. Nous regardions les côtes s'enfuir, heureux et
fiers comme tous ceux qui voyagent peu.

140 Mon père tendait son ventre, sous sa redingote dont on
avait, le matin même, effacé avec soin toutes les taches, et il
répandait autour de lui cette odeur de benzine des jours de
sortie, qui me faisait reconnaître les dimanches.

Tout à coup, il avisa deux dames élégantes à qui deux
145 messieurs offraient des huîtres. Un vieux matelot déguenillé[2] ouvrait d'un coup de couteau les coquilles et les
passait aux messieurs, qui les tendaient ensuite aux dames.
Elles mangeaient d'une manière délicate, en tenant l'écaille
sur un mouchoir fin et en avançant la bouche pour ne point
150 tacher leurs robes. Puis elles buvaient l'eau d'un petit
mouvement rapide et jetaient la coquille à la mer.

---

notes

1. Grandville : port sur la côte
de la Manche, à 25 km au
nord-ouest d'Avranches.

2. déguenillé : couvert
de guenilles, de haillons.

Mon père, sans doute, fut séduit par cet acte distingué de manger des huîtres sur un navire en marche. Il trouva cela bon genre, raffiné, supérieur, et il s'approcha de ma mère et

155 de mes sœurs en demandant :

« Voulez-vous que je vous offre quelques huîtres ? »

Ma mère hésitait, à cause de la dépense ; mais mes deux sœurs acceptèrent tout de suite. Ma mère dit, d'un ton contrarié :

160 « J'ai peur de me faire mal à l'estomac. Offre ça aux enfants seulement, mais pas trop, tu les rendrais malades. »

Puis, se tournant vers moi, elle ajouta :

« Quant à Joseph, il n'en a pas besoin ; il ne faut point gâter les garçons. »

165 Je restai donc à côté de ma mère, trouvant injuste cette distinction. Je suivais de l'œil mon père, qui conduisait pompeusement ses deux filles et son gendre vers le vieux matelot déguenillé.

Les deux dames venaient de partir, et mon père indiquait

170 à mes sœurs comment il fallait s'y prendre pour manger sans laisser couler l'eau ; il voulut même donner l'exemple et il s'empara d'une huître. En essayant d'imiter les dames, il renversa immédiatement tout le liquide sur sa redingote et j'entendis ma mère murmurer :

175 « Il ferait mieux de se tenir tranquille. »

Mais tout à coup mon père me parut inquiet ; il s'éloigna de quelques pas, regarda fixement sa famille pressée autour de l'écailleur[1], et, brusquement, il vint vers nous. Il me sembla fort pâle, avec des yeux singuliers. Il dit, à mi-

180 voix, à ma mère :

notes

1. écailleur (ou plutôt écailler) : celui qui vend des huîtres.

« C'est extraordinaire, comme cet homme qui ouvre les huîtres ressemble à Jules. »

Ma mère, interdite, demanda :

« Quel Jules ? »

185 Mon père reprit :

« Mais... mon frère... Si je ne le savais pas en bonne position, en Amérique, je croirais que c'est lui. »

Ma mère, effarée[1], balbutia :

« Tu es fou ! Du moment que tu sais bien que ce n'est pas

190 lui, pourquoi dire ces bêtises-là ? »

Mais mon père insistait :

« Va donc le voir, Clarisse ; j'aime mieux que tu t'en assures toi-même, de tes propres yeux. »

Elle se leva et alla rejoindre ses filles. Moi aussi, je regar-

195 dais l'homme. Il était vieux, sale, tout ridé, et ne détournait pas le regard de sa besogne.

Ma mère revint. Je m'aperçus qu'elle tremblait. Elle prononça très vite :

« Je crois que c'est lui. Va donc demander des renseigne-

200 ments au capitaine. Surtout, sois prudent, pour que ce garnement[2] ne nous retombe pas sur les bras, maintenant ! »

Mon père s'éloigna, mais je le suivis. Je me sentais étrangement ému.

Le capitaine, un grand monsieur, maigre, à longs favoris,

205 se promenait sur la passerelle d'un air important, comme s'il eût commandé le courrier des Indes[3].

Mon père l'aborda avec cérémonie, en l'interrogeant sur son métier avec accompagnement de compliments :

notes

1. **effarée :** troublée, effrayée.
2. **garnement :** mauvais sujet.
3. **le courrier des Indes :** service postal entre l'Angleterre et les Indes.

114

« Quelle était l'importance de Jersey ? Ses productions ?
Sa population ? Ses mœurs ? Ses coutumes ? La nature du
sol », etc., etc.

On eût cru qu'il s'agissait au moins des États-Unis
d'Amérique.

Puis on parla du bâtiment qui nous portait, l'*Express* ;
puis on en vint à l'équipage. Mon père, enfin, d'une voix
troublée :

« Vous avez là un vieil écailleur d'huîtres qui paraît bien
intéressant. Savez-vous quelques détails sur ce bonhomme ? »

Le capitaine, que cette conversation finissait par irriter,
répondit sèchement :

« C'est un vieux vagabond français que j'ai trouvé en
Amérique l'an dernier, et que j'ai rapatrié. Il a, paraît-il, des
parents au Havre, mais il ne veut pas retourner près d'eux,
parce qu'il leur doit de l'argent. Il s'appelle Jules... Jules
Darmanche ou Darvanche, quelque chose comme ça, enfin.
Il paraît qu'il a été riche un moment là-bas, mais vous voyez
où il en est réduit maintenant. »

Mon père, qui devenait livide[1], articula, la gorge serrée,
les yeux hagards :

« Ah ! ah ! très bien..., fort bien... Cela ne m'étonne pas...
Je vous remercie beaucoup, capitaine. »

Et il s'en alla, tandis que le marin le regardait s'éloigner
avec stupeur.

Il revint auprès de ma mère, tellement décomposé[2]
qu'elle lui dit :

« Assieds-toi ; on va s'apercevoir de quelque chose. »

notes

1. livide : très pâle.
2. décomposé : bouleversé.

Il tomba sur le banc en bégayant :

« C'est lui, c'est bien lui ! »

Puis il demanda :

240 « Qu'allons-nous faire ?... »

Elle répondit vivement :

« Il faut éloigner les enfants. Puisque Joseph sait tout, il va aller les chercher. Il faut prendre garde surtout que notre gendre ne se doute de rien. »

245 Mon père paraissait atterré[1]. Il murmura :

« Quelle catastrophe ! »

Ma mère ajouta, devenue tout à coup furieuse :

« Je me suis toujours doutée que ce voleur ne ferait rien, et qu'il nous retomberait sur le dos ! Comme si on pouvait
250 attendre quelque chose d'un Davranche !... »

Et mon père se passa la main sur le front, comme il faisait sous les reproches de sa femme.

Elle ajouta :

« Donne de l'argent à Joseph pour qu'il aille payer ces
255 huîtres, à présent. Il ne manquerait plus que d'être reconnus par ce mendiant. Cela ferait un joli effet sur le navire. Allons-nous-en à l'autre bout, et fais en sorte que cet homme n'approche pas de nous ! »

Elle se leva, et ils s'éloignèrent après m'avoir remis une
260 pièce de cent sous.

Mes sœurs, surprises, attendaient leur père. J'affirmai que maman s'était trouvée un peu gênée par la mer, et je demandai à l'ouvreur d'huîtres :

« Combien est-ce que nous vous devons, monsieur ? »

---

notes

1. atterré : accablé, abattu.

265 J'avais envie de dire : « mon oncle. »

Il répondit :

« Deux francs cinquante. »

Je tendis mes cent sous et il me rendit la monnaie.

Je regardais sa main, une pauvre main de matelot, toute
270 plissée, et je regardais son visage, un vieux et misérable
visage, triste, accablé, en me disant :

« C'est mon oncle, le frère de papa, mon oncle ! »

Je lui laissai dix sous de pourboire. Il me remercia :

« Dieu vous bénisse, mon jeune monsieur ! »

275 Avec l'accent d'un pauvre qui reçoit l'aumône. Je pensai
qu'il avait dû mendier, là-bas !

Mes sœurs me contemplaient, stupéfaites de ma générosité.

Quand je remis les deux francs à mon père, ma mère,
280 surprise, demanda :

« Il y en avait pour trois francs ?... Ce n'est pas possible. »

Je déclarai d'une voix ferme :

« J'ai donné dix sous de pourboire. »

Ma mère eut un sursaut et me regarda dans les yeux :

285 « Tu es fou ! Donner dix sous à cet homme, à ce
gueux !... »

Elle s'arrêta sous un regard de mon père, qui désignait
son gendre.

Puis on se tut.

290 Devant nous, à l'horizon, une ombre violette semblait
sortir de la mer. C'était Jersey.

Lorsqu'on approcha des jetées, un désir violent me vint
au cœur de voir encore une fois mon oncle Jules, de m'ap-
procher, de lui dire quelque chose de consolant, de tendre.

295 Mais, comme personne ne mangeait plus d'huîtres, il
avait disparu, descendu sans doute au fond de la cale infecte
où logeait ce misérable.

Et nous sommes revenus par le bateau de Saint-Malo[1] pour ne pas le rencontrer. Ma mère était dévorée d'inquiétude.

Je n'ai jamais revu le frère de mon père !

Voilà pourquoi tu me verras quelquefois donner cent sous aux vagabonds.

« *En voyant entrer les grands navires, qui revenaient de pays inconnus et lointains…* »
(page 109).
Illustration de C. Morel, 1901.

notes

1. *Saint-Malo :* port sur la côte nord de la Bretagne, plus éloigné de Jersey que le port de Grandville.

Au fil du texte

AVEZ-VOUS BIEN LU ?

1. Comment la générosité de Joseph Davranche à l'égard des vagabonds s'explique-t-elle ?

2. La famille Davranche est-elle heureuse ?

3. Qui a une voix prépondérante dans la famille ?

4. Quel est le but des promenades du dimanche ?

5. Depuis combien de temps Jules est-il parti ?

6. Dans quelle mesure la rencontre de l'oncle est-elle dramatique pour la famille ?

7. Quels sentiments le père, la mère, le narrateur* éprouvent-ils à l'égard de Jules ?

narrateur : celui qui raconte.

ironique : l'ironie consiste à dire le contraire de ce que l'on pense ou de ce que l'on veut faire entendre.

dénouement : manière dont le récit s'achève.

ÉTUDIER LA GRAMMAIRE

8. *« Eût dépendu, aurais reconnu, eût entamé, eût cru »* : analysez ces formes.

9. *« [...] il écrivit [...] avait fait. »* (lignes 72 à 74) : quelle est, dans cette phrase, la valeur du passé simple, de l'imparfait, du plus-que-parfait ?

ÉTUDIER L'ÉCRITURE

10. Dans le récit de la promenade du dimanche (lignes 25 à 45), relevez les notations ironiques*.

11. Relevez, au moment du dénouement*, l'opinion de la mère sur les Davranche. Que pensait-on d'eux, au contraire, après les deux lettres de Jules ?

ÉTUDIER UN THÈME : LA FAMILLE

12. Analysez le mode de vie de la famille Davranche : ses ressources, ses habitudes, ses espérances, les relations entre ses membres...

ÉTUDIER LE GENRE : LA NOUVELLE

13. L'écailler est à l'opposé du héros qu'avait imaginé la famille. Combien de temps (et de pages) séparent les deux évocations de l'oncle Jules ? Vous pouvez en déduire une caractéristique de la nouvelle.

14. Pourquoi la surprise du dénouement est-elle particulièrement dramatique pour la famille Davranche ?

À VOS PLUMES !

15. Imaginez un autre dénouement : l'écailler lève les yeux et reconnaît son frère...

16. Pris de pitié, le narrateur se fait connaître de son oncle. Racontez en faisant alterner dans le récit description et dialogue.

LIRE L'IMAGE

17. Décrivez le dessin de la page 118 en distinguant ses différents plans.

18. Repérez les lignes horizontales, verticales et obliques qui structurent ce même dessin.

La Question du latin

Cette question du latin, dont on nous abrutit depuis quelque temps, me rappelle une histoire, une histoire de ma jeunesse.

Je finissais mes études chez un marchand de soupe[1], d'une grande ville du centre, à l'institution Robineau, célèbre dans toute la province par la force des études latines qu'on y faisait.

Depuis dix ans, l'institution Robineau battait, à tous les concours, le lycée impérial de la ville et tous les collèges des sous-préfectures, et ses succès constants étaient dus, disait-on, à un pion, un simple pion, M. Piquedent, ou plutôt le père Piquedent.

C'était un de ces demi-vieux tout gris, dont il est impossible de connaître l'âge et dont on devine l'histoire à première vue. Entré comme pion à vingt ans dans une

notes

1. marchand de soupe :
directeur d'institution scolaire
qui ne pense qu'à faire
des bénéfices.

institution quelconque, afin de pouvoir pousser ses études jusqu'à la licence ès lettres d'abord, et jusqu'au doctorat[1] ensuite, il s'était trouvé engrené[2] de telle sorte dans cette vie sinistre qu'il était resté pion toute sa vie. Mais son amour pour le latin ne l'avait pas quitté et le harcelait à la façon d'une passion malsaine. Il continuait à lire les poètes, les prosateurs, les historiens, à les interpréter, à les commenter, avec une persévérance qui touchait à la manie.

Un jour, l'idée lui vint de forcer tous les élèves de son étude à ne lui répondre qu'en latin ; et il persista dans cette résolution, jusqu'au moment où ils furent capables de soutenir avec lui une conversation entière comme ils l'eussent fait dans leur langue maternelle.

Il les écoutait ainsi qu'un chef d'orchestre écoute répéter ses musiciens, et à tout moment frappant son pupitre de sa règle :

« Monsieur Lefrère, monsieur Lefrère, vous faites un solécisme[3] ! Vous ne vous rappelez donc pas la règle ?...

– Monsieur Plantel, votre tournure de phrase est toute française et nullement latine. Il faut comprendre le génie d'une langue. Tenez, écoutez-moi... »

Or, il arriva que les élèves de l'institution Robineau emportèrent, en fin d'année, tous les prix de thème, version et discours latins.

L'an suivant, le patron, un petit homme rusé comme un singe, dont il avait d'ailleurs le physique grimaçant et grotesque, fit imprimer sur ses programmes, sur ses réclames et peindre sur la porte de son institution :

notes

1. doctorat : grade de docteur attribué à une personne qui a soutenu une thèse. *2. engrené :* pris dans l'engrenage. *3. solécisme :* faute contre la syntaxe.

« Spécialités d'études latines. – Cinq premiers prix rem-
45 portés dans les cinq classes du lycée.

« Deux prix d'honneur au Concours général avec tous
les lycées et collèges de France. »

Pendant dix ans l'institution Robineau triompha de la
même façon. Or, mon père, alléché par ces succès, me mit
50 comme externe chez ce Robineau que nous appelions
Robinetto ou Robinettino, et me fit prendre des répétitions[1] spéciales avec le père Piquedent, moyennant cinq
francs l'heure, sur lesquels le pion touchait deux francs et le
patron trois francs. J'avais alors dix-huit ans, et j'étais en
55 philosophie.

Ces répétitions avaient lieu dans une petite chambre qui
donnait sur la rue. Il advint que le père Piquedent, au lieu
de me parler latin, comme il faisait à l'étude, me raconta
ses chagrins en français. Sans parents, sans amis, le pauvre
60 bonhomme me prit en affection et versa dans mon cœur sa
misère.

Jamais depuis dix ou quinze ans il n'avait causé seul à seul
avec quelqu'un.

« Je suis comme un chêne dans un désert, disait-il. *Sicut*
65 *quercus in solitudine.* »

Les autres pions le dégoûtaient ; il ne connaissait
personne en ville, puisqu'il n'avait aucune liberté pour se
faire des relations.

« Pas même les nuits, mon ami, et c'est le plus dur pour
70 moi. Tout mon rêve serait d'avoir une chambre avec mes
meubles, mes livres, de petites choses qui m'appartiendraient

---

notes

1. répétitions : leçons
particulières.

et auxquelles les autres ne pourraient pas toucher. Et je n'ai rien à moi, rien que ma culotte et ma redingote, rien, pas même mon matelas et mon oreiller ! Je n'ai pas quatre murs
75 où m'enfermer, excepté quand je viens pour donner une leçon dans cette chambre. Comprenez-vous ça, vous ; un homme qui passe toute sa vie sans avoir jamais le droit, sans trouver jamais le temps de s'enfermer tout seul, n'importe où, pour penser, pour réfléchir, pour travailler, pour rêver ?
80 Ah ! mon cher, une clef, la clef d'une porte qu'on peut fermer, voilà le bonheur, le voilà, le seul bonheur !

« Ici, pendant le jour, l'étude avec tous ces galopins[1] qui remuent, et, pendant la nuit le dortoir avec ces mêmes galopins qui ronflent. Et je dors dans un lit public au bout
85 des deux files de ces lits de polissons que je dois surveiller. Je ne peux jamais être seul, jamais ! Si je sors, je trouve la rue pleine de monde, et quand je suis fatigué de marcher, j'entre dans un café plein de fumeurs et de joueurs de billard. Je vous dis que c'est un bagne. »
90 Je lui demandais :

« Pourquoi n'avez-vous pas fait autre chose, monsieur Piquedent ? »

Il s'écriait :

« Eh quoi, mon petit ami, quoi ? Je ne suis ni bottier, ni
95 menuisier, ni chapelier, ni boulanger, ni coiffeur. Je ne sais que le latin, moi, et je n'ai pas de diplôme qui me permette de le vendre cher. Si j'étais docteur, je vendrais cent francs ce que je vends cent sous ; et je le fournirais sans doute de moins bonne qualité, car mon titre suffirait à soutenir ma
100 réputation. »

notes
_____
1. galopins : garnements, polissons.

Parfois il me disait :

« Je n'ai de repos dans la vie que les heures passées avec vous. Ne craignez rien, vous n'y perdrez pas. À l'étude, je me rattraperai en vous faisant parler deux fois plus que les autres. »

Un jour je m'enhardis, et je lui offris une cigarette. Il me contempla d'abord avec stupeur, puis il regarda la porte :

« Si on entrait, mon cher !

– Eh bien, fumons à la fenêtre », lui dis-je.

Et nous allâmes nous accouder à la fenêtre sur la rue, en cachant au fond de nos mains arrondies en coquille les minces rouleaux de tabac.

En face de nous était une boutique de repasseuses : quatre femmes en caraco[1] blanc promenaient sur le linge, étalé devant elles, le fer lourd et chaud qui dégageait une buée.

Tout à coup une autre, une cinquième portant au bras un large panier qui lui faisait plier la taille, sortit pour aller rendre aux clients leurs chemises, leurs mouchoirs et leurs draps. Elle s'arrêta sur la porte comme si elle eût été fatiguée déjà ; puis elle leva les yeux, sourit en nous voyant fumer, nous jeta, de sa main restée libre, un baiser narquois d'ouvrière insouciante ; et elle s'en alla d'un pas lent, en traînant ses chaussures.

C'était une fille de vingt ans, petite, un peu maigre, pâle, assez jolie, l'air gamin, les yeux rieurs sous des cheveux blonds mal peignés.

Le père Piquedent, ému, murmura :

« Quel métier, pour une femme ! Un vrai métier de cheval. »

notes

1. caraco : blouse.

130 Et il s'attendrit sur la misère du peuple. Il avait un cœur exalté de démocrate[1] sentimental et il parlait des fatigues ouvrières avec des phrases de Jean-Jacques Rousseau[2] et des larmoiements dans la gorge.

Le lendemain, comme nous étions accoudés à la même
135 fenêtre, la même ouvrière nous aperçut et nous cria : « Bonjour les écoliers ! » d'une petite voix drôle, en nous faisant la nique[3] avec ses mains.

Je lui jetai une cigarette, qu'elle se mit aussitôt à fumer. Et les quatre autres repasseuses se précipitèrent sur la porte,
140 les mains tendues, afin d'en avoir aussi.

Et, chaque jour, un commerce d'amitié s'établit entre les travailleuses du trottoir et les fainéants de la pension.

Le père Piquedent était vraiment comique à voir. Il tremblait d'être aperçu, car il aurait pu perdre sa place, et il faisait
145 des gestes timides et farces[4], toute une mimique d'amoureux sur la scène, à laquelle les femmes répondaient par une mitraille de baisers.

Une idée perfide me germait dans la tête. Un jour, en rentrant dans notre chambre, je dis, tout bas, au vieux pion :
150 « Vous ne croiriez pas, monsieur Piquedent, j'ai rencontré la petite blanchisseuse ! Vous savez bien, celle au panier, et je lui ai parlé ! »

Il demanda, un peu troublé par le ton que j'avais pris : « Que vous a-t-elle dit ?

notes

1. démocrate : qui est partisan de la démocratie, qui défend le peuple.

2. Jean-Jacques Rousseau : philosophe du siècle des Lumières, auteur notamment du *Discours sur l'origine de l'inégalité* et du *Contrat social* (1712-1778).

3. faisant la nique : faisant un geste de moquerie.

4. farces : comiques.

155 — Elle m'a dit... mon Dieu... elle m'a dit... qu'elle vous trouvait très bien... Au fond, je crois... je crois... qu'elle est un peu amoureuse de vous... »

Je le vis pâlir ; il reprit :

« Elle se moque de moi, sans doute. Ces choses-là n'arri-
160 vent pas à mon âge. »

Je dis gravement :

« Pourquoi donc ? Vous êtes très bien ! »

Comme je le sentais touché par ma ruse, je n'insistai pas. Mais, chaque jour, je prétendis avoir rencontré la petite et
165 lui avoir parlé de lui ; si bien qu'il finit par me croire et par envoyer à l'ouvrière des baisers ardents et convaincus.

Or, il arriva qu'un matin, en me rendant à la pension, je la rencontrai vraiment. Je l'abordai sans hésiter comme si je la connaissais depuis dix ans.

170 « Bonjour, mademoiselle. Vous allez bien ?

— Fort bien, monsieur, je vous remercie.

— Voulez-vous une cigarette ?

— Oh ! pas dans la rue.

— Vous la fumerez chez vous.

175 — Alors, je veux bien.

— Dites donc, mademoiselle, vous ne savez pas ?

— Quoi donc, monsieur ?

— Le vieux, mon vieux professeur...

— Le père Piquedent ?

180 — Oui, le père Piquedent. Vous savez donc son nom ?

— Parbleu ! Eh bien ?

— Eh bien, il est amoureux de vous ! »

Elle se mit à rire comme une folle et s'écria :

« C'te blague !

185 — Mais non, ce n'est pas une blague. Il me parle de vous tout le temps des leçons. Je parie qu'il vous épousera, moi ! »

Elle cessa de rire. L'idée du mariage rend graves toutes les filles. Puis elle répéta incrédule :

« C'te blague !

190 — Je vous jure que c'est vrai. »

Elle ramassa son panier posé devant ses pieds :

« Eh bien, nous verrons », dit-elle.

Et elle s'en alla.

Aussitôt entré à la pension, je pris à part le père 195 Piquedent :

« Il faut lui écrire ; elle est folle de vous. »

Et il écrivit une longue lettre doucement tendre, pleine de phrases et de périphrases[1], de métaphores[2] et de compa-raisons, de philosophie et de galanterie universitaire, un vrai 200 chef-d'œuvre de grâce burlesque[3], que je me chargeai de remettre à la jeune personne.

Elle la lut avec gravité, avec émotion, puis elle murmura :

« Comme il écrit bien ! On voit qu'il a reçu de l'éduca-tion. C'est-il vrai qu'il m'épouserait ? »

205 Je répondis intrépidement :

« Parbleu ! Il en perd la tête.

— Alors il faut qu'il m'invite à dîner un dimanche à l'île des Fleurs. »

Je promis qu'elle serait invitée.

210 Le père Piquedent fut très touché de tout ce que je lui racontai d'elle.

---

notes

1. périphrases : figures de style qui consistent à remplacer un mot par un groupe nominal (ex. *l'astre du jour* pour *le soleil*).

2. métaphores : à la différence de la comparaison, la métaphore consiste à rapprocher deux termes sans outils grammaticaux (comme, ainsi que, etc.) Ex. *Cet homme a un cœur de granit* est une métaphore, tandis que *Son cœur est dur comme du granit* est une comparaison.

3. burlesque : grotesque, comique.

J'ajoutai :

« Elle vous aime, monsieur Piquedent ; et je la crois une honnête fille. Il ne faut pas la séduire et l'abandonner ensuite ! »

215   Il répondit avec fermeté :

« Moi aussi je suis un honnête homme, mon ami. »

Je n'avais, je l'avoue, aucun projet. Je faisais une farce, une farce d'écolier, rien de plus. J'avais deviné la naïveté du vieux pion, son innocence et sa faiblesse. Je m'amusais sans me

220   demander comment cela tournerait. J'avais dix-huit ans, et je passais pour un madré[1] farceur, au lycée, depuis longtemps déjà.

Donc il fut convenu que le père Piquedent et moi partirions en fiacre jusqu'au bac de la Queue-de-Vache, nous y

225   trouverions Angèle, et je les ferais monter dans mon bateau, car je canotais en ce temps-là. Je les conduirais ensuite à l'île des Fleurs, où nous dînerions tous les trois. J'avais imposé ma présence, pour bien jouir de mon triomphe, et le vieux, acceptant ma combinaison[2], prouvait bien qu'il perdait la

230   tête en effet en exposant ainsi sa place.

Quand nous arrivâmes au bac, où mon canot était amarré depuis le matin, j'aperçus dans l'herbe, ou plutôt au-dessus des hautes herbes de la berge, une ombrelle rouge énorme, pareille à un coquelicot monstrueux. Sous l'ombrelle nous

235   attendait la petite blanchisseuse endimanchée. Je fus surpris ; elle était vraiment gentille, bien que pâlotte, et gracieuse, bien que d'allure un peu faubourienne[3].

Le père Piquedent lui tira son chapeau en s'inclinant. Elle lui tendit la main, et ils se regardèrent sans dire un mot. Puis

240   ils montèrent dans mon bateau et je pris les rames.

notes

1. **madré :** rusé.
2. **combinaison :** plan.
3. **faubourienne :** des faubourgs, de la banlieue.

Ils étaient assis côte à côte, sur le banc d'arrière.

Le vieux parla le premier :

« Voilà un joli temps, pour une promenade en barque. »

Elle murmura :

245 « Oh ! oui. »

Elle laissait traîner sa main dans le courant, effleurant l'eau de ses doigts, qui soulevaient un mince filet transparent, pareil à une lame de verre. Cela faisait un bruit léger, un gentil clapot[1], le long du canot.

250 Quand on fut dans le restaurant, elle retrouva la parole, commanda le dîner : une friture, un poulet et de la salade ; puis elle nous entraîna dans l'île, qu'elle connaissait parfaitement.

Alors elle fut gaie, gamine, et même assez moqueuse.

255 Jusqu'au dessert, il ne fut pas question d'amour. J'avais offert du champagne, et le père Piquedent était gris[2]. Un peu partie elle-même, elle l'appelait :

« Monsieur Piquenez. »

Il dit tout à coup :

260 « Mademoiselle, monsieur Raoul vous a communiqué mes sentiments. »

Elle devint sérieuse comme un juge.

« Oui monsieur.

– Y répondez-vous ?

265 – On ne répond jamais à ces questions-là ! »

Il soufflait d'émotion et reprit :

« Enfin, un jour viendra-t-il où je pourrai vous plaire ? »

Elle sourit :

« Gros bête ! Vous êtes très gentil.

---

notes

1. clapot : clapotis, bruit léger   **2. gris :** ivre, soûl.
de petites vagues.

270   — Enfin, mademoiselle, pensez-vous que plus tard, nous pourrions... ? »

Elle hésita, une seconde ; puis d'une voix tremblante :

« C'est pour m'épouser que vous dites ça ? Car jamais autrement, vous savez ?

275   — Oui, mademoiselle !

— Eh bien, ça va, monsieur Piquenez ! »

C'est ainsi que ces deux étourneaux[1] se promirent le mariage, par la faute d'un galopin. Mais je ne croyais pas cela sérieux, ni eux non plus, peut-être. Une hésitation lui vint

280 à elle :

«Vous savez, je n'ai rien, pas quatre sous. »

Il balbutia, car il était ivre comme Silène[2] :

« Moi, j'ai cinq mille francs d'économies. »

Elle s'écria triomphante :

285   « Alors nous pourrions nous établir[3] ? »

Il devint inquiet :

« Nous établir quoi ?

— Est-ce que je sais, moi ? Nous verrons. Avec cinq mille francs, on fait bien des choses. Vous ne voulez pas que j'aille

290 habiter dans votre pension, n'est-ce pas ? »

Il n'avait point prévu jusque-là, et il bégayait fort perplexe :

« Nous établir quoi ? Ça n'est pas commode ! Moi je ne sais que le latin ! »

295   Elle réfléchissait à son tour, passant en revue toutes les professions qu'elle avait ambitionnées.

---

notes

1. étourneaux : au sens propre, oiseaux ; au sens figuré, personnes étourdies.

2. Silène : dans la mythologie grecque, père nourricier de Dionysos, dieu de la Vigne et du Vin.

3. nous établir : nous installer, ouvrir un commerce.

« Vous ne pourriez pas être médecin ?

– Non, je n'ai pas de diplôme.

– Ni pharmacien ?

300   – Pas davantage. »

Elle poussa un cri de joie. Elle avait trouvé :

« Alors nous achèterons une épicerie ! Oh ! quelle chance ! nous achèterons une épicerie ! Pas grosse par exemple ; avec cinq mille francs on ne va pas loin. »

305   Il eut une révolte :

« Non, je ne peux pas être épicier... Je suis... je suis... je suis trop connu... Je ne sais que... que... que le latin... moi... »

Mais elle lui enfonçait dans la bouche un verre plein de champagne. Il but et se tut.

310   Nous remontâmes dans le bateau. La nuit était noire, très noire. Je vis bien, cependant, qu'ils se tenaient par la taille et qu'ils s'embrassèrent plusieurs fois.

Ce fut une catastrophe épouvantable. Notre escapade, découverte, fit chasser le père Piquedent. Et mon père,

315   indigné, m'envoya finir ma philosophie dans la pension Ribaudet.

Je passai mon bachot six semaines plus tard. Puis j'allai à Paris faire mon droit ; et je ne revins dans ma ville natale qu'après deux ans.

320   Au détour de la rue du Serpent une boutique m'accrocha l'œil. On lisait : *Produits coloniaux Piquedent*. Puis dessous, afin de renseigner les plus ignorants : *Épicerie*.

Je m'écriai :

« *Quantum mutatus ab illo !*[1] »

---

notes

1. Quantum mutatus ab illo ! :
Comme il a changé depuis
ce temps-là !

325   Piquedent leva la tête, lâcha sa cliente et se précipita sur moi les mains tendues.

« Ah ! mon jeune ami, mon jeune ami, vous voici ! Quelle chance ! Quelle chance ! »

Une belle femme, très ronde, quitta brusquement le
330 comptoir et se jeta sur mon cœur. J'eus de la peine à la reconnaître tant elle avait engraissé.

Je demandai :

« Alors, ça va ? »

Piquedent s'était remis à peser :

335 « Oh ! très bien, très bien, très bien. J'ai gagné trois mille francs nets, cette année !

— Et le latin, monsieur Piquedent ?

— Oh ! mon Dieu, le latin, le latin, le latin, voyez-vous, il ne nourrit pas son homme ! »

Édouard Manet, *En bateau,* **1874.**

Au fil du texte

AVEZ-VOUS BIEN LU ?

1. Quelle est l'intention du narrateur* ?

2. De quoi Piquedent souffre-t-il ?

3. Quel est l'âge de la jeune fille ? Et quel âge donnez-vous à Piquedent ?

*narrateur :
celui qui
raconte.*

4. De la pension à l'île des Fleurs, quelle évolution constatez-vous chez lui ?

*dénouement :
manière
dont le récit
s'achève.*

5. Quel est la conséquence de l'escapade à l'île des Fleurs ?

6. Combien de temps après cette aventure le dénouement* intervient-il ?

7. La « métamorphose » humaine et sociale du héros a-t-elle été facile ?

ÉTUDIER LA GRAMMAIRE

8. « *Elle s'arrêta sur la porte comme si elle eût été fatiguée* » (ligne 119) : identifiez les formes verbales, puis réécrivez la phrase en mettant le verbe principal au présent.

ÉTUDIER L'ÉCRITURE

9. Vers la fin du conte, Maupassant laisse entendre que les leçons de latin de Piquedent ont été profitables au narrateur. Relevez ce trait d'humour.

10. « [...] *ainsi qu'un chef d'orchestre...* » (lignes 29 à 31). Dans cette même phrase, quels sont les termes qui développent la comparaison★ ?

11. « [...] *en cachant au fond de nos mains arrondies en coquille les minces rouleaux de tabac.* » (ligne 111) : le narrateur utilise ici une métaphore★ et une périphrase★. Identifiez-les.

12. Dans la scène du restaurant, relevez les comparaisons qui caractérisent le pion et la jeune fille.

À VOS PLUMES !

13. Rédigez la lettre « *doucement tendre, pleine de phrases et de périphrases, de métaphores et de comparaisons* » que Piquedent envoie à Angèle.

14. Imaginez un dialogue entre le pion et la blanchisseuse, en respectant le style soutenu de l'un et le langage familier de l'autre.

15. Piquedent tient son journal. Il raconte à sa façon sa journée à l'île des Fleurs en compagnie d'Angèle et du narrateur.

LIRE L'IMAGE

16. Documentez-vous sur Édouard Manet. Quand le peintre réalise le tableau reproduit page 133, quel est l'âge de Maupassant ?

17. Ce tableau sert-il à illustrer la nouvelle ou à évoquer la vie de l'écrivain (voir page 144) ?

comparaison : **rapprochement de termes exprimé à l'aide de mots outils (comme, ainsi que…).**

méthaphore : **rapprochement de termes exprimé sans mots outils, de façon implicite.**

périphrase : **procédé qui consiste à désigner une personne ou un objet par un groupe nominal.**

1. Complétez le texte.

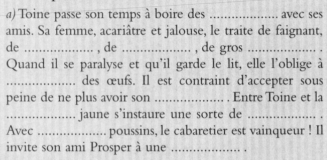

a) Toine passe son temps à boire des .... avec ses amis. Sa femme, acariâtre et jalouse, le traite de faignant, de .... , de .... , de gros .... Quand il se paralyse et qu'il garde le lit, elle l'oblige à .... des œufs. Il est contraint d'accepter sous peine de ne plus avoir son .... Entre Toine et la .... jaune s'instaure une sorte de .... Avec .... poussins, le cabaretier est vainqueur ! Il invite son ami Prosper à une ....

b) Employé au ministère de l'.................. publique, M. Loisel gagne mal sa vie alors que sa jolie femme ne rêve que de toilettes, de sorties, de belle vie. Invitée à une .... , Mme Loisel s'achète une robe qui coûte .... francs, et emprunte une .... à son amie, Mme .... L'ayant perdue, elle mène avec son mari pendant .... ans une vie très rude, afin de rembourser les .... francs que coûte cette .... de .... Elle apprend alors que cette parure ne valait que .... francs.

c) Piquedent est un vieux .... qui enseigne le latin. Il mène une vie malheureuse à l'institution .... Un de ses élèves, malicieux et .... , lui fait croire qu'une jeune blanchisseuse est .... de lui. Il organise une rencontre à l'île des .... Canotage, restaurant, champagne : Piquedent est .... et promet le mariage. Mais il est chassé de l'institution. Allant à Paris faire son .... , le narrateur ne revient dans sa ville que .... ans plus tard. Il découvre avec étonnement que Piquedent a ouvert avec sa femme une .... , qu'il est heureux et ne pense plus au ....

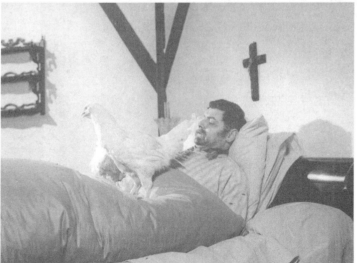

Toine, film réalisé par Carlo Rim pour la télévision.

2. Choisissez la bonne réponse.

a) La boisson préférée de Toine, c'est :

        A. le cognac.

        B. le cidre.

        C. le rhum.

b) Le père Milon est âgé de :

        A. 68 ans.

        B. 58 ans.

        C. 62 ans.

c) Le vrai nom de la mère Sauvage, c'est :

        A. Magloire.

        B. Simon.

        C. Loisel.

d) Pourquoi le gueux est-il arrêté ? Parce qu'il a :

        A. tué une poule.

        B. volé de l'argent.

        C. volé des pommes.

e) Le soldat Boitelle porte un pantalon :

        A. rouge.

        B. kaki.

        C. gris.

f) La chevelure est :

        A. rousse.

        B. blonde.

        C. brune.

g) Dans quelle ville d'eaux *Le Tic* se déroule-t-il ?

        A. au Mont-Dore.

        B. à La Bourboule.

        C. à Châtelguyon.

h) Combien les Loisel paient-ils la parure ?

        A. 36 000 F.

        B. 40 000 F.

        C. 18 000 F.

i) Vers quelle île le bateau sur lequel se trouve l'oncle Jules vogue-t-il ?

> *A.* Jersey.
>
> *B.* Guernesey.
>
> *C.* l'île de Ré.

j) Les époux Piquedent tiennent :

> *A.* une blanchisserie.
>
> *B.* une épicerie.
>
> *C.* une pharmacie.

3. Mots en croix.

(Tous les mots à trouver figurent dans les contes.)

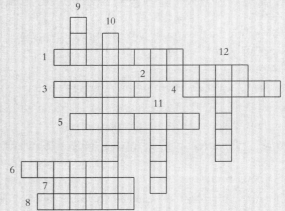

Horizontalement

1. Le nom de famille de Toine.
2. Le prénom de la blanchisseuse.
3. Il apporte une mauvaise nouvelle à la mère Sauvage.
4. Le surnom du gueux.
5. Prénom d'un ami de Toine.
6. Île anglo-normande.
7. Il n'aime pas les Prussiens.
8. Synonyme de « fou ».

Verticalement

9. Un des oiseaux qu'admire Boitelle.

10. Ville d'eaux.

11. Le vrai nom d'une « résistante ».

12. Ils n'auraient jamais dû aller à cette soirée.

4. Qui suis-je ? Trouvez le nom du personnage et indiquez dans quel conte il apparaît.

a) Je suis généreuse et prête volontiers mes affaires, même mes bijoux.

b) Je n'étais pas du tout fait pour le métier que j'exerce actuellement, mais je gagne beaucoup mieux ma vie qu'autrefois.

c) Je fais toujours l'aumône aux pauvres, car je suis bien placé pour savoir à quel point ces gens peuvent être malheureux.

d) Je suis un valet de chambre indigne de confiance.

e) Je suis l'ami d'un cabaretier, et c'est moi qui ai eu l'idée de lui faire couver des œufs, par plaisanterie.

f) Après avoir attendu pendant des années le retour de mon beau-frère, j'espère maintenant qu'il ne reviendra plus jamais au Havre.

g) On me dit violent et cruel, mais que voulez-vous ? Je déteste les vagabonds, surtout quand ils me volent.

h) Mon métier est d'apporter des nouvelles. Elles sont parfois mauvaises, mais je n'y peux rien ; ce n'est pas moi qui écris les lettres, je les distribue seulement.

i) J'ai rencontré un brave garçon, avec qui j'aurais bien voulu me marier. Malheureusement, ça ne s'est pas fait.

j) J'étais une petite ouvrière sans ressources et, depuis mon mariage, je tiens boutique, je suis patronne ! La vie, c'est parfois curieux !

Dossier
Bibliocollège

Structure narrative

Il n'y a pas, chez Maupassant, de structure-type du récit, mais au contraire une structure variée, repérable même dans ce petit échantillon de contes. Si l'on représente schématiquement le déroulement de l'action, on obtient trois cas de figures.

I. Un récit linéaire, où les événements sont racontés dans l'ordre chronologique.
C'est le cas de *Toine*, du *Gueux*, de *La Parure*.

> récit linéaire

II. Un récit linéaire qui est un retour sur le passé.
Le conte commence alors par un court préambule explicatif.
C'est le cas du *Père Milon*, de *Boitelle* et de *La Question du latin*.

> préambule + récit

III. Un récit encadré par un autre.
Il y a deux narrateurs.
C'est le cas de *La Mère Sauvage*, du *Tic*, de *La Chevelure* et de *Mon oncle Jules*.

> récit-cadre
> récit encadré

LE POINT DE VUE

On pourrait distinguer deux groupes de contes, selon que le récit est écrit à la troisième ou à la première personne.

• Récit à la troisième personne

Dans ce cas, le narrateur est hors du récit (c'est le cas pour *Toine*, *Le Père Milon*, *Le Gueux*, *Boitelle* et *La Parure*), il est « omniscient », c'est-à-dire qu'il sait tout de ses personnages : leurs pensées les plus secrètes, leurs motivations, leurs pulsions, leur passé et leur avenir. Il détient donc toutes les clés de l'histoire.

Les faits sont généralement rapportés dans l'ordre chronologique (sauf dans *Le Père Milon*, où le récit constitue un retour en arrière).

• Récit à la première personne

Le narrateur est dans le récit, mais deux cas peuvent se présenter :

– ou bien il est mêlé directement à l'action, étant lui-même un personnage du conte : c'est le cas du narrateur de *La Question du latin* qui joue un rôle essentiel. Malicieux et farceur, il fait croire au pion qu'une blanchisseuse est amoureuse de lui. Il est en somme le meneur du jeu, même si, à la fin, il est un peu dépassé par le résultat inattendu de sa farce ;

– ou bien il ne joue aucun rôle dans le conte, sinon celui de confident : un ami lui raconte l'histoire de *La Mère Sauvage*, ou un médecin lui donne à lire le journal d'un fou (*La Chevelure*), ou un curiste lui fait part d'une aventure macabre (*Le Tic*), ou encore un camarade lui apprend une mésaventure familiale (*Mon oncle Jules*)... En fait, dans ces quatre contes, la narration est faite par deux narrateurs, un récit étant inséré dans l'autre.

Il était une fois Maupassant

Un admirateur de Flaubert

L'enfance et l'adolescence de Guy de Maupassant se sont déroulées en Normandie, principalement à Étretat. Normand comme Gustave Flaubert, qui est un ami d'enfance de sa mère, Maupassant subit assez tôt l'influence de l'écrivain, à qui il soumet ses premiers essais littéraires. Flaubert l'encourage, mais se montre exigeant : il restera pour lui le maître à imiter. Après le baccalauréat, obtenu à Rouen en 1869, il s'inscrit à la faculté de droit de Paris, mais ses études sont interrompues par la guerre franco-prussienne de 1870.

Dates clés

1850 :
Maupassant naît le 5 août, au château de Miromesnil, près de Dieppe.

1880 :
il entre dans la littérature « comme un météore ».

1893 :
il meurt le 6 juillet à Passy.

Un sportif accompli

Meurtri par la guerre, humilié par la défaite, il abandonne ses études et entre comme commis au ministère de la Marine qu'il quittera quelques années plus tard pour celui de l'Instruction publique. Il mène la vie pauvre, routinière, sans avenir, des petits employés de bureau du XIXe siècle et s'ennuie ferme. Tout son temps libre, il le passe dans sa yole, sur la Seine. Ce jeune homme moustachu et vigoureux est en effet un sportif accompli : il aime la gymnastique, la natation, surtout le canotage, qu'il pratique même la nuit... Avec des camarades, il fréquente les bords de Seine (Argenteuil, Bezons, Bougival, Marly), côtoie une société populaire, pas très raffinée...

UN ÉCRIVAIN CÉLÈBRE

1880 est pour lui une année décisive : *Boule-de-Suif*
paraît, qui le révèle, et trois semaines plus tard, Flaubert
meurt, comme s'il avait pressenti que son élève n'avait
plus besoin de ses conseils... Maupassant ne tarde pas
à quitter le ministère, pour se consacrer à l'écriture :
il devient vite riche, s'achète un voilier, voyage. On est
confondu par l'étendue de sa production littéraire :
en une dizaine d'années, il a écrit six romans, trois cents
contes réunis en recueils, et des récits de voyages
inspirés par ses croisières en Méditerranée... Il peint tous
les milieux, dans un style précis et réaliste, qui se refuse
à embellir la vie : les paysans normands, les salons
parisiens, les petits employés, le monde des canotiers,
l'univers de la folie...

UN HOMME MALADE

Mais cet écrivain riche et célèbre est aussi un grand
malade. Très tôt, il a souffert de névralgies, de migraines,
de troubles de la vision (sa mère souffrait des nerfs et
son frère Hervé est mort à l'asile de Bron). Des crises
de démence se manifestent, et il entre en 1892 dans la
clinique du docteur Blanche, à Passy. Il y meurt dix-huit
mois plus tard, à peine âgé de quarante-trois ans.

Dates clés

1880 :
parution de
Boule-de-Suif
qui le révèle
au public.

1881 :
La Maison Tellier.

1882 :
*Mademoiselle
Fifi.*

1883 :
*Une vie ;
Contes de
la bécasse.*

1885 :
Bel-Ami.

1886 :
Toine.

1887 :
*Le Horla ;
Mont-Oriol.*

1888 :
*Sur l'eau ;
Pierre et Jean.*

1890 :
*La Vie errante ;
Notre cœur.*

Le contexte historique

ACTUALITÉ ET RÉALITÉ

En 1883, année de la publication du *Père Milon*
(le premier conte du recueil dans l'ordre chronologique),
la IIIᵉ République est proclamée en France depuis treize
ans, et le président, élu en 1879, se nomme Jules Grévy.
En 1881 et 1882, des lois très importantes ont été
votées, sous l'impulsion de Jules Ferry : l'école doit être
désormais laïque, gratuite et obligatoire. Mais on ne
trouvera, dans les contes de ce recueil, aucune allusion
à l'actualité.

Pourtant, Maupassant, écrivain réaliste, sait voir et
décrire la réalité de son temps : tous ses personnages
appartiennent bien à leur époque. Mais ils sont aussi,
d'une certaine façon, hors du temps : l'histoire de *Toine*,
par exemple, qui a été publiée en 1885 dans le *Gil Blas*,
aurait fort bien pu se dérouler vingt ans plus tôt (ou
vingt ans plus tard). Tous les contes de ce recueil sont
dans ce cas, sauf *Le Père Milon* et *La Mère Sauvage*.
Dans ces nouvelles, en effet, une référence précise est
faite à l'actualité, une actualité déjà très ancienne
puisqu'il s'agit de la guerre de 1870 : quand l'écrivain
les publie dans *Le Figaro*, en 1883 et 1884, la guerre est
finie depuis longtemps.

LA GUERRE DE 1870

Déclarée par la France à la Prusse le 19 juillet 1870,
la guerre commença le 2 août, et fut un désastre qui
entraîna la chute du Second Empire. Le 4 septembre,
la République fut proclamée et un gouvernement

Dates clés

19 juillet 1870 :
la France
déclare
la guerre
à la Prusse.

**4 septembre
1870 :**
chute du
Second Empire ;
proclamation
de la IIIᵉ
république.

**28 janvier
1871 :**
reddition
de la France
à la Prusse ;
fin de la guerre
de 1870.

de défense nationale fut créé. Mais l'armée recrutée en province par Gambetta fut vaincue et Paris se rendit le 28 janvier 1871. À Bordeaux, l'Assemblée nationale nomma Thiers chef du pouvoir exécutif, mais sa tentative de reprendre les canons aux Parisiens provoqua une insurrection, puis la proclamation de la Commune. En mai, le soulèvement fut durement réprimé par les « Versaillais », c'est-à-dire les troupes gouvernementales.

Bien que versé dans l'intendance, et ne participant pas directement au combat, Maupassant n'oubliera jamais cette courte période de sa vie. À vingt ans, il connaît la déroute, la fatigue, la faim et l'humiliation de la défaite. De nombreuses nouvelles (*Boule-de-Suif*, *Mademoiselle Fifi*, *Deux amis*, *Saint Antoine*, etc.) auront pour toile de fond la guerre et ses atrocités.

Dates clés

1883 : Maupassant publie *Le Père Milon* dans *Le Gaulois*.

LA GUERRE DU PÈRE MILON ET DE LA MÈRE SAUVAGE

Le père Milon et la mère Sauvage se ressemblent beaucoup : ce sont des paysans normands, des gens de la campagne, rudes et farouches, assez âgés, qui ont perdu chacun un fils à la guerre ; ils se vengent sur l'occupant prussien, et sont tous deux fusillés.

Peut-on parler de patriotisme ? Les motifs personnels l'emportent sur tout idéal : Milon en veut aux Prussiens de s'être installés dans sa ferme, de lui prendre son fourrage et ses bêtes... La mère Sauvage veut que les mères des quatre soldats qu'elle a tués soient informées par lettre de leur mort, comme elle l'a été elle-même de la mort de son fils au front.

UNE PEINTURE NUANCÉE

La peinture de Maupassant est réaliste dans la précision des détails et dans la vraisemblance psychologique des personnages : le chagrin lié à l'avarice chez un homme, la vengeance d'une femme qui veut faire souffrir des mères prussiennes. Mais il n'y a pas chez l'écrivain de haine généralisée de l'ennemi, même s'il estime que les envahisseurs doivent être combattus. Ainsi, après l'aveu des seize meurtres de Milon, il se trouve un officier – qui a lui aussi perdu un fils à la guerre – pour le défendre... De même, les soldats hébergés par la mère Sauvage ne sont pas antipathiques, ce sont de « *bons enfants* », qui se montrent « *pleins de prévenances pour elle* ».

Pour Maupassant, qui a été marqué par la défaite et qui prend en somme sa revanche sur les Prussiens par contes interposés, c'est la guerre qui est haïssable. Et il éprouve une grande pitié pour les humbles, « *ceux qu'on tue par masses, qui forment la vraie chair à canon [...], ceux qui souffrent enfin le plus cruellement des atroces misères de la guerre [...]* ».

À retenir

Divers thèmes de Maupassant :
– la rude vie des paysans normands ;
– la vie difficile des petits employés ;
– l'exclusion et le racisme ;
– l'horreur de la guerre ;
– l'étrange et le macabre ;
– la farce et l'ironie grinçante…

Capitulation de Sedan (2 septembre 1870).

Un genre littéraire : le conte

NATURE DU GENRE

De nombreux écrivains ont pratiqué ce genre littéraire,
mais le mot *conte* revêt plusieurs sens. Au XVIIe siècle,
il est synonyme de conte de fées *(cf.* Charles Perrault,
Contes de ma mère l'Oye). Au XVIIIe siècle, il sert de support
à une réflexion morale, religieuse ou politique : c'est le
conte philosophique de Voltaire, *Zadig* par exemple. Au
XIXe siècle, des auteurs de premier plan ont utilisé ce type
de récit court, qui se prête à toutes les variations,
historique, réaliste, fantastique : outre Maupassant,
on peut citer Honoré de Balzac, Prosper Mérimée,
Théophile Gautier, Gustave Flaubert, Alphonse Daudet.

CONTE OU NOUVELLE ?

D'origine italienne, la nouvelle (dont l'initiateur serait
Boccace) a été illustrée en France au XVIe siècle par
Marguerite de Navarre dans son *Heptaméron* (1559),
au XVIIe siècle par Segrais, l'auteur des *Nouvelles françaises,*
et par Mme de La Fayette, dont *La Princesse de Montpensier*
connut un grand succès. C'est un récit court, appelé
aussi historiette et qui a des prétentions historiques.
Au XIXe siècle, il semble bien que conte et nouvelle soient
des termes synonymes. Les auteurs cités plus haut sont
des nouvellistes, dont certains introduisent le mot conte
dans le titre de leur recueil : Flaubert, *Trois contes* ; Villiers
de L'Isle-Adam, *Contes cruels* ; Daudet, *Contes du lundi…*
Maupassant, qui parle souvent dans sa correspondance
de ses nouvelles, a publié les *Contes de la bécasse* et
les *Contes du jour et de la nuit.*

CARACTÉRISTIQUES

Le conte ou la nouvelle sont donc des récits en prose, proches du roman, mais beaucoup plus courts que lui (le fait que la plupart des contes aient paru d'abord dans les journaux, au XIXe siècle, a sans doute contribué à les écourter). Ils comptent par conséquent moins de personnages que le roman, avec une intrigue évidemment moins complexe, et doivent répondre aussi à certaines exigences esthétiques.

Brièveté, nombre réduit de personnages, intrigue simple, qualité de la forme : tous ces ingrédients se retrouvent chez Maupassant.

L'ART DE MAUPASSANT

Nous nous bornerons ici à évoquer le soin extrême avec lequel Maupassant organise son récit, de façon que le dénouement surprenne le lecteur – ce qui semble bien être une caractéristique de la nouvelle.

La scène finale, en effet, est souvent forte : c'est l'exécution sommaire et brutale de la mère Sauvage ou du père Milon ; c'est l'explication macabre donnée au tic nerveux du curiste de Châtelguyon.

Plus caractéristique peut-être est le trait final, la réplique ou la réflexion qui clôt le récit, et qui suscite une réaction du lecteur, comme l'exclamation concise et douloureusement ironique qui termine *Le Gueux*. La plus surprenante, sans doute, est la conclusion de *La Parure* : quoi ! toute cette peine, tous ces soucis, cette vie manquée à cause de faux diamants ?

Par la sobriété de ses récits, la concision de son style et son art de la mise en scène, Maupassant est bien un des maîtres de la nouvelle.

Groupements de textes :
I. Autour de la chevelure

Le narrateur de *La Chevelure* raconte dans son journal l'étrange passion qu'il éprouve pour une inconnue dont il a par hasard trouvé la chevelure dans un meuble ancien. La chevelure – celle d'une femme mystérieuse – joue aussi un grand rôle dans une nouvelle fantastique de Maupassant intitulée *Apparition*.
La passion d'un jeune homme pour une inconnue du temps passé qui revient, ou semble revenir, à la vie est un thème de prédilection pour Théophile Gautier, développé par exemple dans *Arria Marcella*.
Enfin, ce thème de la « revenante » rappelée à la vie par la force de l'amour (« l'amour est plus fort que la mort »), est aussi exploité par Villiers de L'Isle-Adam, dans *Véra*.

« APPARITION », DE MAUPASSANT

À la demande d'un ami, le narrateur a pénétré dans un vieux château qui paraît abandonné. Soudain...

> Une grande femme vêtue de blanc me regardait, debout derrière le fauteuil où j'étais assis une seconde plus tôt.
> Une telle secousse me courut dans les membres que je faillis m'abattre à la renverse ! Oh ! personne ne peut comprendre, à moins de les avoir ressentis, ces épouvantables et stupides terreurs. L'âme se fond ; on ne sent plus son cœur ; le corps entier devient mou comme une éponge, on dirait que tout l'intérieur de nous s'écroule. [...]
> Elle dit :
> « Oh ! Monsieur, vous pouvez me rendre un grand service ! »

Je voulus répondre, mais il me fut impossible de prononcer un mot. Un bruit vague sortit de ma gorge.

Elle reprit :

« Voulez-vous ? Vous pouvez me sauver, me guérir. Je souffre affreusement. Je souffre, oh ! je souffre ! »

Et elle s'assit doucement dans mon fauteuil. Elle me regardait : « Voulez-vous ? »

Je fis : « Oui ! » de la tête, ayant encore la voix paralysée. Alors elle me tendit un peigne en écaille et elle murmura :

« Peignez-moi, oh ! peignez-moi ; cela me guérira ; il faut qu'on me peigne. Regardez ma tête... Comme je souffre ; et mes cheveux comme ils me font mal ! »

Ses cheveux dénoués, très longs, très noirs, me semblait-il, pendaient par-dessus le dossier du fauteuil et touchaient la terre.

Pourquoi ai-je fait ceci ? Pourquoi ai-je reçu en frissonnant ce peigne, et pourquoi ai-je pris dans mes mains ses longs cheveux qui me donnèrent à la peau une sensation de froid atroce comme si j'eusse manié des serpents ? Je n'en sais rien. Cette sensation m'est restée dans les doigts et je tressaille en y songeant.

Je la peignai. Je maniai je ne sais comment cette chevelure de glace. Je la tordis, je la renouai, la dénouai ; je la tressai comme on tresse la crinière d'un cheval. Elle soupirait, penchait la tête, semblait heureuse.

Soudain elle me dit : « Merci ! » m'arracha le peigne des mains et s'enfuit par la porte que j'avais remarquée entrouverte.

« ARRIA MARCELLA », DE T. GAUTIER

En visitant Pompéi, Octavien a éprouvé un véritable coup de foudre devant l'empreinte laissée dans un bloc de lave par le corps d'une jeune femme, morte dans l'éruption du Vésuve en 79 apr. J.-C. Une nuit, resté au milieu des ruines, il se trouve mystérieusement mêlé à la vie de Pompéi, avant l'éruption du volcan. Une servante le conduit auprès d'Arria Marcella, cette jeune femme dont il a contemplé le moulage...

Au fond de la salle, sur un biclinium ou lit à deux places, était accoudée Arria Marcella dans une pose voluptueuse et sereine qui rappelait la femme couchée de Phidias[1] sur le fronton du Parthénon ; ses chaussures, brodées de perles, gisaient au bas du lit, et son beau pied nu, plus pur et plus blanc que le marbre, s'allongeait au bout d'une légère couverture de byssus[2] jetée sur elle.

Deux boucles d'oreilles faites en forme de balance et portant des perles sur chaque plateau tremblaient dans la lumière au long de ses joues pâles ; un collier de boules d'or, soutenant des grains allongés en poire, circulait sur sa poitrine laissée à demi découverte par le pli négligé d'un péplum[3] de couleur paille bordé d'une grecque noire ; une bandelette noire et or passait et luisait par place dans ses cheveux d'ébène, car elle avait changé de costume en revenant du théâtre ; et autour de son bras, comme l'aspic[4] autour du bras de Cléopâtre, un serpent d'or, aux yeux de pierreries, s'enroulait à plusieurs reprises et cherchait à se mordre la queue. [...]

Arria Marcella fit signe à Octavien de s'étendre à côté d'elle sur le biclinium et de prendre part au repas ; – le jeune homme, à demi fou de surprise et d'amour, prit au hasard quelques bouchées sur les plats que lui tendaient de petits esclaves asiatiques aux cheveux frisés, à la courte tunique. Arria ne mangeait pas, mais elle portait souvent à ses lèvres un vase myrrhin[5] aux teintes opalines rempli d'un vin d'une pourpre sombre comme du sang figé ; à mesure qu'elle buvait, une imperceptible vapeur rose montait à ses joues pâles, de son cœur qui n'avait pas battu depuis tant d'années ; cependant son bras nu, qu'Octavien effleura en soulevant sa coupe, était froid comme la peau d'un serpent ou le marbre d'une tombe.

T. Gautier, « Arria Marcella », in *Contes fantastiques.*

notes

1. Phidias : architecte et sculpteur grec (v. 490-431 av. J.-C.).

2. byssus : du grec *bussos*, tissu très fin fait de coton ou de lin de l'Inde.

3. péplum : tunique portée par les femmes, dans l'Antiquité.

4. aspic : serpent au venin très toxique et souvent mortel.

5. myrrhin : de la couleur de la myrrhe, gomme résine fournie par un arbre, le balsamier.

« VÉRA », DE VILLIERS DE L'ISLE ADAM

Le comte d'Athol vit reclus depuis la mort de Véra. Il a jeté
dans le tombeau la clé qui devrait lui permettre de revenir...

Ce soir-là, cependant, on eût dit que, du fond des ténèbres, la
comtesse Véra s'efforçait adorablement de revenir dans cette
chambre tout embaumée d'elle ! Elle y avait laissé tant de sa
personne ! Tout ce qui avait constitué son existence l'y attirait.
Son charme y flottait ; les longues violences faites par la volonté
passionnée de son époux y devaient avoir desserré les vagues
liens de l'Invisible autour d'elle !...

Elle y était *nécessitée*. Tout ce qu'elle aimait, c'était là. Elle devait
avoir envie de venir se sourire encore en cette glace mystérieuse
où elle avait tant de fois admiré son lilial visage ! La douce
morte, là-bas, avait tressailli, certes, dans ses violettes, sous les
lampes éteintes ; la divine morte avait frémi, dans le caveau,
toute seule, en regardant la clef d'argent jetée sur les dalles. Elle
voulait s'en venir vers lui aussi ! [...]

Ah ! les Idées sont des êtres vivants !... Le comte avait creusé
dans l'air la forme de son amour, et il fallait bien que ce vide
fût comblé par le seul être qui lui était homogène, autrement
l'Univers aurait croulé. L'impression passa, en ce moment, défi-
nitive, simple, absolue, qu'*Elle devait être là dans la chambre !* Il en
était aussi tranquillement certain que de sa propre existence, et
toutes les choses, autour de lui, étaient saturées de cette conviction. On l'y voyait ! Et, *comme il ne manquait plus que Véra elle-
même*, tangible, extérieure, *il fallut bien qu'elle s'y trouvât* et que
le grand Songe de la Vie et de la Mort entr'ouvrît un moment
des portes infinies ! Le chemin de résurrection était envoyé par
la foi jusqu'à elle ! Un frais éclat de rire musical éclaira de sa
joie le lit nuptial ; le comte se retourna. Et là, devant ses yeux,
faite de volonté et de souvenir, accoudée, fluide, sur l'oreiller de
dentelles, sa main soutenant ses lourds cheveux noirs, sa bouche
délicieusement entr'ouverte en un sourire tout emparadisé de
voluptés, belle à en mourir, enfin ! la comtesse Véra le regardait
un peu endormie encore.

– Roger !... dit-elle d'une voix lointaine.

Villiers de L'Isle-Adam, « Véra », in Contes cruels.

Maisons normandes.

II. Autour de la ferme

Maupassant a souvent dépeint dans ses ouvrages les paysans et les fermes de Normandie. C'est une description de ce genre qui ouvre le conte du *Père Milon*. Normand comme lui, Flaubert a décrit dans *Un cœur simple* la ferme Liébard. Il nous a paru intéressant de comparer entre eux les textes des deux écrivains, puis de comparer la ferme normande avec la ferme berrichonne du père Bardeau évoquée dans *La Petite Fadette* par George Sand, et la ferme beauceronne de M. Hourdequin décrite par Émile Zola dans *La Terre*.

« Un cœur simple », de Flaubert

Mme Aubain, accompagnée de ses deux enfants et de sa servante Félicité, rend visite à ses fermiers, les Liébard, dans la région de Pont-l'Évêque.

La mère Liébard, en apercevant sa maîtresse, prodigua les démonstrations de joie. Elle lui servit un déjeuner où il y avait un aloyau[1], des tripes, du boudin, une fricassée de poulet, du cidre mousseux, une tarte aux compotes et des prunes à l'eau-de-vie, accompagnant le tout de politesses à Madame qui paraissait en meilleure santé, à Mademoiselle devenue « magnifique », à M. Paul singulièrement « forci », sans oublier leurs grands-parents défunts que les Liébard avaient connus, étant au service de la famille depuis plusieurs générations. La ferme avait, comme eux, un caractère d'ancienneté. Les poutrelles du plafond étaient vermoulues, les murailles noires de fumée, les carreaux gris de poussière. Un dressoir en chêne supportait toutes sortes d'ustensiles, des brocs, des assiettes, des écuelles

notes

1. aloyau : morceau de bœuf taillé le long des reins, dont fait partie le « filet ».

d'étain, des pièges à loup, des forces[1] pour les moutons ; une seringue énorme fit rire les enfants. Pas un arbre des trois cours qui n'eût des champignons à sa base, ou dans ses rameaux une touffe de gui. Le vent en avait jeté bas plusieurs. Ils avaient repris par le milieu ; et tous fléchissaient sous la quantité de leurs pommes. Les toits de paille, pareils à du velours brun et inégaux d'épaisseur, résistaient aux plus fortes bourrasques. Cependant la charreterie tombait en ruine. Mme Aubain dit qu'elle aviserait, et commanda de reharnacher ses bêtes.

G. Flaubert, « Un cœur simple », in *Trois Contes*.

« LA PETITE FADETTE », DE G. SAND

Le père Barbeau de la Cosse n'était pas mal dans ses affaires, à preuve qu'il était du conseil municipal de sa commune. Il avait deux champs qui lui donnaient la nourriture de sa famille et du profit par-dessus le marché. Il cueillait dans ses prés du foin à pleins charrois, et, sauf celui qui était au bord du ruisseau, et qui était un peu ennuyé par le jonc, c'était du fourrage connu dans l'endroit pour être de première qualité.

La maison du père Barbeau était bien bâtie, couverte en tuile, établie en bon air sur la côte, avec un jardin de bon rapport et une vigne de six journaux[2]. Enfin il avait, derrière sa grange, un beau verger, que nous appelons chez nous une ouche, où le fruit abondait tant en prunes qu'en guignes, en poires et en cormes[3]. Mêmement les noyers de ses bordures étaient les plus vieux et les plus gros de deux lieues aux entours.

« LA TERRE », D'É. ZOLA

Jean, ce matin-là, un semoir de toile bleue noué sur le ventre, en tenait la poche ouverte de la main gauche, et de la droite,

---

notes

1. forces : grands ciseaux utilisés autrefois pour tondre les moutons.

2. journau : ancienne mesure indiquant la surface de terrain qu'un homme pouvait labourer en un jour.

3. cormes : fruits comestibles du cormier (ou sorbier).

tous les trois pas, il y prenait une poignée de blé, que d'un geste, à la volée, il jetait. Ses gros souliers trouaient et emportaient la terre grasse, dans le balancement cadencé de son corps ; tandis que, à chaque jet, au milieu de la semence blonde toujours volante, on voyait luire les deux galons rouges d'une veste d'ordonnance, qu'il achevait d'user. Seul, en avant, il marchait, l'air grandi ; et, derrière, pour enfouir le grain, une herse roulait lentement, attelée de deux chevaux, qu'un charretier poussait à longs coups de fouet réguliers, claquant au-dessus de leurs oreilles.

La parcelle de terre, d'une cinquantaine d'ares à peine, au lieu dit des Cornailles, était si peu importante, que M. Hourdequin, le maître de la Borderie, n'avait pas voulu y envoyer le semoir mécanique, occupé ailleurs. Jean, qui remontait la pièce du midi au nord, avait justement devant lui, à deux kilomètres, les bâtiments de la ferme. Arrivé au bout du sillon, il leva les yeux, regarda sans voir, en soufflant une minute.

C'étaient des murs bas, une tache brune de vieilles ardoises, perdue au seuil de la Beauce, dont la plaine, vers Chartres, s'étendait. Sous le ciel vaste, un ciel couvert de la fin d'octobre, dix lieues de cultures étalaient en cette saison les terres nues, jaunes et fortes, des grands carrés de labour, qui alternaient avec les nappes vertes des luzernes et des trèfles ; et cela sans un coteau, sans un arbre, à perte de vue, se confondant, s'abaissant, derrière la ligne d'horizon, nette et ronde comme sur une mer. Du côté de l'ouest, un petit bois bordait seul le ciel d'une bande roussie. Au milieu, une route, la route de Châteaudun à Orléans, d'une blancheur de craie, s'en allait toute droite pendant quatre lieues, déroulant le défilé géométrique des poteaux du télégraphe. Et rien autre, que trois ou quatre moulins de bois, sur leur pied de charpente, les ailes immobiles. Des villages faisaient des îlots de pierre, un clocher au loin émergeait d'un pli de terrain, sans qu'on vît l'église, dans les molles ondulations de cette terre du blé.

Mais Jean se retourna, et il repartit, du nord au midi, avec son balancement, la main gauche tenant le semoir, la droite fouettant l'air d'un vol continu de semence.